RHYWLE YN FFRAINC

Rhywle yn Ffrainc

Detholiad o Ddyddiadur Milwr
yn y Rhyfel Mawr

Tom Price

Gwasg Carreg Gwalch

Bydd breindal y gyfrol yn cael ei ddefnyddio tuag at osod carreg ar fedd fy nain a'm taid (tad a mam Tom Price) ym mynwent Ffestiniog.

Lonna Bradley

Argraffiad cyntaf: 2019

ⓗ Lonna Bradley 2019

Rhif Llyfr Safonol Rhyngwladol:
978-1-84527-687-4

Cyhoeddwyd gyda chymorth Cyngor Llyfrau Cymru

Dylunio'r clawr: Eleri Owen

Cyhoeddwyd gan Wasg Carreg Gwalch,
12 Iard yr Orsaf, Llanrwst, Dyffryn Conwy, Cymru LL26 0EH.
Ffôn: 01492 642031
lle ar y we: www.carreg-gwalch.cymru

Argraffwyd a chyhoeddwyd yng Nghymru

I gofio am yr hogiau o'r pentref

laddwyd yn y rhyfel

a phob enaid a ddioddefodd o'i herwydd

Cynnwys

Contents

Pennod 1

Gartref

Diwrnod bythgofiadwy oedd Llun Gŵyl Banc Awst 1914 i lawer. Yr oedd gwersyll milwrol – milwyr y magnelau – ychydig filltiroedd oddi yma, ac yr oedd symud mawr wedi bod ar y relwe drwy y Sul. Bu un trên yn aros yn hir mewn saflinell yn y stesion yma – a ninnau'r ieuainc yn prysuro yno wedi'r moddion i'w weled – y milwyr mewn hwyl dda, ac un ohonynt wedi ysgrifennu ar ffenestr ei gerbyd:

We don't want to fight
But jingo if we do,
We've got the guns,
We've got the men,
We've got the money too.

Yr oedd hefyd Eisteddfod flynyddol lewyrchus iawn yng Nghorwen ar ddydd Llun Gŵyl y Banc, ac yn ôl yr arfer aeth llu ohonom yno. Dyddiau hyfryd fu dyddiau yr Eisteddfod – dyddiau pan fyddai corau meibion Ffynnongroyw, Nelson Arion, côr y Moelwyn, côr J. T. Owen, a chorau o'r De yn eu gogoniant, ac y byddai cystadlu brwd cydrhwng corau cymysg Penbedw a Phentre Broughton. Eithr yr oedd awyrgylch Eisteddfod 1914 yn nodedig gan fod rhyw wefr ryfedd i'w theimlo.

Byddem ni – dri ohonom – yn cael hwyl fawr; ni raid inni ond sefyll a syllu i'r awyr, megis ar awyren, na fyddai tyrrau eraill yma ac acw yn gwneud yr un peth yn y man.

Bu helynt wedyn wrth ddod adref – ein trên yn cael ei droi i saflinell ar lan Llyn Tryweryn er mwyn i drenaid o'r magnelwyr ein pasio, a buom yn disgwyl yn hir.

Yn ffodus, fodd bynnag, yr oedd gan un o griw y cerbyd organ geg, un arall yn ganwr penillion, a phasiwyd yr amser drwy ganu ac ail-ganu penillion Celynfab am Sowldiwrs Trawsfynydd. Rwyf yn lled gofio rhai ohonynt:

Pe deflir *shells* o lan y Traws
I ben Moel Caws i'r fodfedd.
Mae'r rhain i gyd yn deall eu gwaith
Mae hyn yn ffaith go ryfedd.
Does yma neb o'r saethwyr sâl
Oedd yn Tranvaal y llynedd.

Gosodir clamp o soldiwr pren
Wrth Amnodd Wen yn barod
Fe losgir rhain yn ulw man
Pan ddel y tân yn gawod,
Os nad yw'n ddigon ysgolhaig
I lechu 'Nghraig yr Hyrddod

Y mae rhianedd glân y fro
Yn cwyno ar y tywydd,
Gan ddweud mai'r sowldiwrs sydd bid siŵr
Yn tynnu'r dŵr i'r nentydd
Bydd raid cael pont ar lanw a thrai
Tros 'Fenai' yn Nhrawsfynydd.

Aeth yn un o'r gloch y bore erbyn inni gyrraedd gartref – a rhaid oedd dal trên arall am chwech i fod yn y chwarel am saith.

Cyfnod o newyddion fu hi am gryn amser wedi hynny; sôn am golli tir a bywydau; sôn hefyd am ddau o fechgyn y pentref yn Mons gyda'r R.W.F.; sôn am un wedi cael ei glwyfo – a llu yn cyfarfod y trên pan ddaeth y newydd ei fod yn dyfod adref, yntau yn edrych yn swel yn ei got goch a'i lifrai, ac yn cael croeso mawr.

Daeth sôn hefyd am ffurfio Adran Gymreig i gael ei dysgu yn Rhyl, Bae Colwyn a Llandudno. Yr oedd brawd imi, Arthur, wedi ymuno â Bataliwn 13 o'r R.W.F., y 'North Wales Pals' – a minnau yn frwd am fyned ato.

Euthum i weled y Swyddog ynghanol mis Tachwedd a chefais drwydded ganddo i deithio i wersyllty Wrecsam ar y trydydd ar hugain o'r mis. Yr oedd amryw eraill yno ar yr un perwyl a'r cwbwl ohonom yn cael ein cerdded i'r stesion, ein rhoi ar y trên i Landudno – a chael ein rhoi yn yr un *billet* yno yn Arley House.

Y ddau frawd, Tom ac Arthur Price

Pennod 2

Llandudno

Ben bore drannoeth yr oeddym ar y parêd a chawsom ein rhoi yn y trydydd platŵn, yng nghwmni A o Fataliwn 16. Yr oeddym wedi cael rhif yn Wrecsam, ac oddi wrth y rhif hwnnw y cydnabyddid ni bellach.

Cyfnod o weiddi, a hwnnw yn weiddi digon croch ar adegau, fu hi arnom am rai wythnosau ymhellach, a ninnau yn teimlo yn bur ddig. Yn wir, yr oedd rhai wedi blino ar eu byd yn fuan. Cofiaf un bachgen, oedd unwaith wedi meddwl am fod yn filwr, wedi cymeryd yn ei ben i redeg ar ôl pob darn o bapur welai a'i roi yn ei boced. Nid oedd modd cael ganddo i beidio er y 'C.B.' a'r *guard room* – rhedeg wnâi Wil, boed wynt neu hindda, nes i'r awdurdodau yn y diwedd ddyfod i'r casgliad ei fod yn fwy o niwsans nag o werth, a rhoddwyd papur iddo yn ei ryddhau o'r fyddin.

Aeth dau blismon milwrol i'w ddanfon i'r stesion, a dyna ddarn o bapur yn eu pasio gyda'r gwynt.

'Hwi Wil, ar ei ôl o,' meddai un ohonynt.

'Dim isio fo,' meddai Wil, 'Rwyf wedi cael y papur oedd arnaf ei eisiau!'

Cosbedigaeth gas oedd y 'C.B.' (*confined to billet*), gan y golygai fyned i hysbysu ein hunain yn y *guard room* bob hanner awr, o hanner awr wedi pump yr hwyr hyd hanner awr wedi naw. Cefais brofiad ohono fy hunan. Yr oedd yn *lights out* arnom am ddeg o'r gloch y nos, a byddai is-

Y 'Comrades' newydd ymuno yn 1914

13

Rhan o'r 16 Fataliwn yn gweinyddu yn y gwersyll

swyddog o gwmpas y tai i edrych a fyddai pawb i mewn. Bûm innau mor anffodus, oherwydd hwyl carwriaethol yng Nghonwy, â methu bod yn fy ôl cyn deg. Nid oedd dim i'w wneud ond myned i hysbysu fy hunan yn y *guard room*. Yr oeddwn ar y carped yn y bore a'r gosb oedd 'one day's C.B.'

Tipyn o redeg oedd hi arnaf y noson honno, yr amser yn go ffit weithiau – rhedeg yn fy esgidiau fy hun hefyd, oblegid nid oeddym wedi cael diwyg y fyddin. Yn wir buom yn milwra yn ein dillad ein hunain am wythnosau. Nid oeddym ychwaith wedi cael ond rhyw hen *rifles* ar ôl rhyfel De Affrica.

Er hyn i gyd, byddem yn cael gryn hwyl. Un dda oedd honno pan ddaeth si fod llong danfor o'r Almaen wedi ei chanfod yn y bae tu allan i Landudno, a'r trydydd platŵn yn cael ei anfon i warchod hyd y Gogarth fach; cerdded o gwmpas am ddwy awr yna gorffwys am bedair, ar hyd y nos.

Ni wn beth y disgwylid i ni wneud pe gwelem Almaenwyr. Yr oedd y gynnau yn wag; nid oedd gennym na bwledi na bidog, a phe bae gennym fwledi, mentar fyddai eu tanio oblegid ni wyddem pa un ai tanio ynte ffrwydro a wnâi'r gynnau. Yn ffodus, ni welwyd dim o'i le y tro hwnnw na throeon wedi hynny.

Nid oedd neb ohonom yn hoff iawn o'r bywyd erbyn hyn, ac yr oedd rhai yn dangos hynny yn eglur iawn, tebyg i'r Cymro hwnnw oedd yn holi ymhen ei wythnos gyntaf, 'Lle mae'r dyn bach strapiau gloyw hwnnw? Mae arnaf eisiau rhoi fy lle i fyny.'

Yr oedd un o hogiau Arley House hefyd, Gamble wrth ei enw, y tybiem ni oedd yn ceisio gweithio'i gardiau. Yr oedd allan o'r *billet* bob nos ac ar y *sick parade* bob bore, a penderfynodd ei bartner cysgu – 'rhen Hughes o Amlwch – roddi gwers iddo. I ffwrdd â ni, bedwar ohonom, Hughes wrth gwrs, Bob Hughes o Betws-y-coed, Philips o Ddyffryn Ceiriog a minnau, rhyw fin nos braf, at lan y môr yn nhroed y Gogarth Fawr i chwilio am granc neu ddau. Cafwyd o hyd i dri heb fod yn rhy fawr ac heb fod yn rhy fach ychwaith, rhy fach i fod yn frathog iawn, a digon mawr i fod yn oer. Aw'd â hwy i'r *billet* yn ofalus a gosodwyd hwy yma ac acw yng ngorweddle Gamble druan.

Daeth yn amser gwely, ninnau yn gwylio'i symudiadau, gan ddisgwyl iddo ef fyned i'w wely yn gyntaf. Daeth i mewn ychydig cyn deg ac aeth i'w lofft wedi swper, a ninnau yn clustfeinio yn y llofft nesaf – ac yn wir, dyna'r waedd fwyaf annaearol, a sŵn y claf yn rhedeg i lawr y grisiau ac i'r toilet ac yno y bu yn tagu ac yn taflu. Cafodd ei ryddhau o'r fyddin ymhen rhyw bythefnos, pa un ai drwy deg ynte drwy dric ni wyddem, ond gwyddom iddo gael rhyddhad grymus o'r ddeupen y noson honno.

Catrawd gymysg oedd y 16, ail argraffiad o'r 13, y 'North Wales Pals', ond deuai y bechgyn, yn Gymry a Saeson, o lawer man. Darlun go dda o hynny oeddym ni ddaeth o Wrecsam i Arley House gyda'n gilydd. Yr oedd yn ein plith ddau frawd o Bontfadog – Humphrey ac Edwin Jones, Morrison a Bentley o gyffiniau Wrecsam, Simon Philips o Ddyffryn Ceiriog, Bob Hughes o Fetws-y-coed, Charlie Morgan o gyffiniau Wrecsam a gôlgeidwad tîm amatur Cymru, Frank Welldon – pêl-droediwr arall o fri ac aelod o dîm Aston Villa, Gamble o Wolverhampton, Dafydd Jones, Oliver Davies a R. E. Roberts o Lanrwst, Arthur Phillips a Steve Morris o dueddau Croesoswallt, J. T. Jones o Stockport, Humphreys a D. H. Lewis, dau glerc

banc – un o Lerpwl a'r llall o Fanceinion – Hughes o
Amlwch a minnau o ardal y chwareli.

Yr oedd dwy gân ar y piano yn y *billet*, 'The Veteran' a
rhywbeth ynglŷn â Syr Francis Drake – 'Now Drake was an
Admiral bold and brave, And he sailed the mighty sea' –
dwy gân iawn i siwtio'r cyfnod, a byddem yn cael hwyl ar
eu canu ambell fin nos. Ni wn a oeddym yn canu'n dda ai
peidio ond byddai tyrfa fechan yn gwrando oddi allan bob
tro, ac yr oedd Welldon yn bianydd da.

Yr oeddym ninnau erbyn hyn yn cael ein haraf wisgo –
esgidiau un wythnos, llodrau a siaced wythnos arall,
capiau dro arall, fel yr oedd golwg milwyr arnom bellach,
beth bynnag am y siâp. Go gyffredin oedd hwnnw mae
arnaf ofn, gan fod y sarsiant yn dal i weiddi 'As you were'
arnom.

Mae gennyf goffa da am y *route marches* hefyd, byr ar y
cychwyn, tebyg i fyned o gylch y Gogarth fawr, yna yn
ymestyn hyd at groesi afon Conwy gyda'r 'Break step' dros
y bont, am Sychnant Pass, i lawr i Benmaenbach, ymlaen
i'r un mwy a Chonwy. Y mwyaf y byddem yn ei wneud
fyddai drwy Glan Conwy a Deganwy, ymlaen i gyfeiriad
Llanrwst a throi i gae i gael cinio. Yr oedd y *Field Kitchens*
wedi cyrraedd erbyn hyn, a chaem y profiadau cyntaf ar y
skilly (cymysgedd ryfedd o gig a thatws a bwydlys wedi eu
cyd-ferwi). Yna byddem yn ail-gychwyn, croesi'r bont ger
gorsaf Eglwysbach a dychwelyd drwy Gonwy, taith o
bymtheg milltir, medden nhw, ond i ni yr oedd pob milltir
yn teimlo'n hwy na'r un o'r blaen. Bu'r môr yn ffrind da i
ni ar ôl y cerdded, gan y byddem yn cael *bathing parade*
ynddo, a da iawn fyddai cael oeri a golchi'r traed yn ei
donnau.

Erbyn dydd Gŵyl Dewi yn 1915, y mae'n rhaid fod

graen go dda arnom. Pa un bynnag, daeth y Gwir Anrhydeddus D. Lloyd George i Landudno i'n gwylio a'n harolygu. Buom am ddyddiau cyn hynny yn brysur ymarfer â'r drin a thebyg fod golwg eithaf arnom yn swancio yn ôl a blaen ar hyd y Prom ar lan y môr. Yr oedd Brigâd 113 yno'n gryno, sef y 13, 14, 15, a 16 Royal Welsh Fusiliers, a chyfran o Adran 38 y Welsh Division. Gwisgai pob un ohonom Genhinen yn ei gap ac yn wir gofalodd rhywun am gyflenwad o Gennin neu Gennin Pedr i ni am y tri dydd Gŵyl Dewi y buom yn Ffrainc.

O Lundain y daeth Bataliwn 15, y London Welsh Batt, a diau bod rhai o Gymry Llundain a mannau eraill yn ei rhengau, ond yn siŵr, Cockneys noeth oedd y mwyafrif, tra mai Cymry oedd gan fwyaf ym Mataliwn 14, a'r rhain yn hogiau o'r Gogledd.

Byddem yn myned dan ofal is-swyddog i Gapel ei enwad ei hun. Yn y prynhawn byddai cannoedd yn ymgasglu yn yr Happy Valley i ganu emynau ac yr oedd mynd ar y canu. Bachgen o'r pentref yma o'r enw David Thomas oedd yr arweinydd; bu yn gydwas â mi yn ardal y Bala ychydig o flynyddoedd yn gynt – Dei bach i'w ffrindiau – a llawer o hwyl a helynt gawsom gyda'n gilydd. Un direidus iawn ydoedd, a phrin iawn y buasai neb oedd yn ei adnabod bryd hynny yn dychmygu y byddai ymhen ychydig flynyddoedd yn medru arwain canu'r cannoedd yn yr Happy Valley. Gorwedda Dei bach, fel cannoedd eraill, yn naear Ffrainc. Hogyn annwyl oedd, yn ganwr da ei hunan, ac yn byrlymu o fywyd bob amser.

Daeth yn haf arnom a chwmnïau y Fataliwn yn eu tro yn myned i ymyl Penrhynside i wersylla am bythefnos. Byddai deg ohonom yn aros mewn pabell, ac yn gorfod tacluso'n gwely a chodi ymylon y dent erbyn brecwast.

Côr y 16 Fataliwn, buddugol yn Eisteddfod Genedlaethol Bangor yn 1915

Codem yn fore yn y fargen i lanhau botymau, siafio a glanhau ein hesgidiau i fod yn addas i'r parêd. Yna, yr oeddym mewn ymarferiadau i ryw gyfeiriad hyd bump o'r gloch. Yr adeg waethaf arnom oedd min nos; yr oeddym ryw ddwy filltir o Landudno a thua'r un pellter o Fae Colwyn. Gallem, yn siŵr, gerdded i un o'r ddau le; yr oedd cerdded bellach yn rhan o'n crefft. Eithr cerdded o gwmpas y byddem ar ôl myned, un ai ar y stryd neu ar y Prom. Yr oedd y boced yn rhy ysgafn i ganiatáu cyngerdd na phictiwrs, oblegid swllt yn y dydd oedd y cyflog, a chan bod llawer yn trosglwyddo hanner hwnnw i'w cartrefi, digon main fyddai hi arnom.

Erbyn hyn, fodd bynnag, yr oedd dau Gymro da, J. R. Nicholas a Stanley Pugh, wedi dyfod drosodd o'r Amerig, ac wedi ymuno â ni. Caem hwyl fawr ar fin nos yn clywed a gweled y naill yn drilio'r llall yn Gymraeg, ac yr oedd eu termau yn drawiadol: 'Sytha', 'Ysgwydda'r gwn', 'Cerdda ymlaen', 'Tro i'r chwith', 'Tro i'r dde', 'Tro yn d'ôl', ac yn lle 'Halt' – 'Wei'. Roedd y ceffyl, bryd hynny, yn anifail cyffredin inni.

Dro arall byddem yn gwylio dau frawd o'r De, Josh a Lyn Prosser, Lyn yn rhoi Josh drwy'r dril yn Saesneg, ac yn gweiddi fel *sergeant major* a Josh yn ymddwyn fel pe bai wedi ei eni â'r gwn yn ei law.

Diwrnod i'w gofio hefyd ydoedd hwnnw yn nechrau Awst pan aeth nifer ohonom o'r Gatrawd i'r Eisteddfod Genedlaethol ym Mangor. Yr oeddym ers tro wedi bod wrthi'n dysgu y 'Comrades Song of Hope' gyda'r bwriad o gystadlu yno, ac yr oedd côr o Fataliwn 17 wedi ei ffurfio, hithau bellach yn ymarfer yn Llandudno. Côr y 16 oedd yn canu gyntaf a chawsom gymeradwyaeth fyddarol. Daeth y 17 nesaf, hwythau yn canu'r un dernyn, ac yn olaf Côr

Llanrwst a Threfriw dan arweiniad T. R. Williams, yn canu 'The Martyrs of the Arena'. Beth bynnag, i'r 16 y daeth yr anrhydedd o ennill, a bu raid gan y Beirniad, a'r gynulleidfa, i ni a'r 17 ymuno yn un i ganu'r 'Comrades' dan ei arweiniad, ynghanol brwdfrydedd mawr.

Efallai bod tipyn o sentiment yn y gymeradwyaeth a'r dyfarniad i'n rhoi ar y blaen i gôr enwog Llanrwst, eithr nid oedd hwnnw y côr a fu o lawer iawn gan fod ei rengau wedi eu teneuo gryn lawer oherwydd y rhyfel. Yn wir, yr oedd rhai o'i aelodau yn canu gyda ni.

Profiad hyfryd, er hynny, oedd cael ymddangos am yr unig dro yn fy mywyd ar lwyfan y Genedlaethol, gyda'r hwyl ychwanegol o gael y wobr, a phrofiad melys ydoedd cael diwrnod difyr ar gost y Llywodraeth.

Pennod 3

Caerwynt

Cerdded ymlaen yr oedd amser, fodd bynnag, a chyn hir gwelid ni dan orchymyn i ymgasglu gyda'n holl feddiannau, yn cael ein cerdded i'r stesion, myned i'r trên ar draws ein gilydd a glanio ymhen hir a hwyr yng Nghaerwynt – Winchester – yng ngwaelod Lloegr. Cerdded wedyn ychydig filltiroedd i Winnal Down Camp.

Daeth Brigâd 114 a 115 o Fae Colwyn a Rhyl, felly gwelwyd yr R.W.F., S.W.B. a'r Welsh Regiment yn Adran gyflawn a elwid yn 38 Welsh Division.

Yr oedd *bugle band* gan bob un o'r deuddeg bataliwn, ac yr oedd Seindorf hefyd gan yr Adran. Gellir dychmygu, felly, am y miwsig oedd yn diasbedain ar strydoedd hen brifddinas gyntaf Prydain wrth i'r rhain basio drwyddynt.

Bellach, caem ambell barêd mawr, yr Adran gyflawn arno, ac yn siŵr, golwg i'w chofio fyddai honno. Hefyd, yr oeddym erbyn hyn wedi cael ein gynnau priodol gyda bidogau, a mynych y byddem yn ymgydnabyddu â hwy. Byddai sacheidiau o wellt ynghrog o'n blaenau yn cynrychioli'r gelyn; ninnau yn rhuthro'n wyllt tuag atynt ac yn eu pwyo â'r fidog – ambell un yn eu pwyo ar ormod o ruthr nes methu cael ei fidog yn rhydd.

Cofiaf am un mwy trwsgl na'r cyffredin yn plannu ei fidog yn y sachaid ac yn gorfod gollwng ei wn yn y godwm gafodd, a ninnau, a dybiem ein hunain gymaint yn well, yn gwenu yn yr olwg oedd arno nes i sylwadau deifiol y sarsiant ymlid ein gwên.

Byddai y bêl-droed yn cael sylw hefyd, a byddai llawer gornest wych yn cymeryd lle cydrhwng y naill Fataliwn a'r llall. Yr oedd tîm 16 yn llwyddiannus iawn yn y rhain gyda cheidwad da yn Morgan, canolwr da yn Welldon ac amryw o hogiau medrus eraill o Gymru a Lloegr.

Tipyn yn ddiog fyddai Welldon yn ambell gêm a chofiaf Swyddog o'r enw Davies, chwaraewr da a dygn ei hunan, yn dweud wrtho, 'Look here Welldon, you are relying on your reputation instead of playing up to it,' a thybiais fod y sylw yn un y gallai pawb ohonom weithredu arno ar gae chwarae a phobman.

Hen ddinas hynafol iawn oedd Caerwynt. Byddai Arthur, fy mrawd, a minnau yn myned i lawr yno ar nos Wener – noson tâl – ac ambell brynhawn Sul. Ymdroesom lawer yn yr Eglwys Gadeiriol a da oedd bod yn awyrgylch honno am dro; adeilad gwych i'r llygad, ac oddi fewn yn naws ysbrydol.

Eithr, wele ni ar gychwyn eto a Chwmni A at y ffordd i'r stesion, yna yn y trên gan deithio hyd Amesbury, yna cerdded o'r orsaf a chael ein hunain ar Salisbury Plain.

Bore drannoeth, rhoddwyd caib i rai ohonom a rhaw i'r lleill ac i ffwrdd a ni i fryniau cyfagos. Yno gosodwyd ni i ddysgu torri gwarchffosydd o ddifrif. Yr oeddym eisoes wedi bod wrthi'n chwarae â'r gwaith yng nghyffiniau Caerwynt; rhyw gogio bach gyda'r offeryn oedd gan bawb ohonom, offeryn fu yn help mawr i dorri coed tân wedi hyn.

Tir sialc oedd yma fel yno, ond yma bu raid torri'r ffos yn ei ffurf briodol, a'r dyfnder. Golwg ddoniol, er hynny, oedd gwylio'r anghyfarwydd yn trafod y gaib. Mentar oedd bod yn rhy agos atynt; eithr hwyl oedd y cyfan inni a byddem yn gofalu am ddarn o sialc i fyned gyda ni i'r babell i'w cherfio yn ein hamser hamdden.

Adran 10 o'r 3ydd platŵn o'r 16 Fataliwn gyda Tom Price yn sefyll yn y cefn, y trydydd o'r chwith

Byddem yn teithio hefyd i le arbennig i ymarfer saethu – saethu bellach i bellter o ddau gan llath. Yr oeddym wedi bod wrthi droeon cynt yn tanio pellter o bum llath ar hugain, ac wedi cael hwyl difai. Gwahanol iawn oedd hi yma; eithriad oedd cael bwled i'r canol du. Byddai rhai o'r bechgyn mewn ffos islaw i'r targedi, a'u gwaith oedd dangos drwy arwyddion ymhle yr oedd y fwled wedi taro. Yr oedd un saethwr yn fy ymyl yn cael arwydd methiant bob tro, a'r Swyddog yn ei ochr yn gwylio drwy ysbienddrych, ac meddai ef wrth y saethwr, 'Jones, ni welaf yr un o dy fwledi di ar y targed.'

'Tybed, Syr,' meddai yntau, 'mae'r pump wedi gadael yma yn reit 'i wala.'

Rhyw grwydro o gwmpas y byddem fin nos. Yr oedd digon o le i wneud hynny ar y gwastadedd eang, a bûm droeon wrth y Stonehenge. Yr oeddym wedi pasio'n agos iddo wrth ddyfod o'r stesion. Da yr enwyd ef yn 'Gôr y Cewri', a byddwn yn dotio at fedr a dygnwch y cewri hynny a'i hadeiladodd ym more hanes. Camp fawr oedd cludo y meini, tunelli o bwysau bob un ohonynt; camp hefyd eu codi ar eu pennau a'u sicrhau i ddal ystormydd y canrifoedd.

Troesom yn ein holau am Gaerwynt ymhen deng niwrnod i ymarfer ymladd agored. Cawsom nod i ymgyrraedd ato yn y pellter a gorchymyn i wneud ein ffordd tuag ato yn ddirgelaidd.

Ar ymgyrch fel hyn aethom un diwrnod i olwg y Punchbowl – a dyna le i ddotio ato a'i enw yn ffitio i'r dim, oblegid powlen sydd yn disgrifio ei ffurf orau. Nid oes modd gweled ei waelod heb fyned i'r grib ond o un cyfeiriad. *Grandstand* campus ydoedd a'i ochrau yn llechwedd esmwyth a'i waelod yn wastadedd eang. Ni wn pwy fyddai yn arfer chwarae mewn lle mor ddiarffordd ac anial – mae'n sicr bod rhywrai, gan fod pedwar chwaraele pêl-droed arno – dau socer a dau rygbi. Bûm yn dyfalu llawer pa un ai creadigaeth naturiol ynte gwaith dynion ydoedd eithr prin yr edrychai gystal ar ôl gwaith llaw.

Aethom eilwaith i wastadedd Caersallog i orffen ein hymarfer saethu, a chysgu yno mewn rhyw gabanau bychain digon anghysurus, a edrychai fel pe bai awel gref o wynt yn ddigon i'w chwythu yn bendramwnwgl. Da fyddai gennym droi oddi yno a dychwelyd i gysur amgenach Winnal Down, oblegid byddai cabanau helaeth yma – digon o le i Blatŵn gyda'i gilydd, a gwely gwellt gan bob un ohonom. Byddem hefyd yn bwyta mewn ystafell eang, y Fataliwn i gyd, ac is-swyddog yn gyfrifol am y cyflenwad ymborth a'i flas, a chofiaf am un ystorm fawr yno a wnaeth i'r is-swyddog wylio'i gamau. Aw'd i mewn i de un diwrnod a chael mai berwr dwfr a bara ac ymenyn oedd ar ein cyfer, hwnnw'n diflannu'n ddigon dirwgnach.

Aw'd yr ail ddiwrnod a'r un peth o'n blaenau, a thipyn o gwyno arno; myned y trydydd tro ar ôl diwrnod blin at y berwr dwfr – a dyna ferwi arall yn y lle.

Dechreuodd rhywrai draw guro'r bwrdd; eraill yn cael y clwy, nes yr oedd pob bwrdd yn swnio; yna cerdded allan ar streic. Anfonwyd dirprwyaeth at y Swyddogion; daeth Swyddog y dydd i weled yr arlwy, ninnau yn myned yn ein holau at fwyd amgenach, a dyna'r olwg olaf a gawsom ar ferwr dwfr.

Yr oeddym erbyn hyn wedi dod yn Adran bur gyflawn, a byddai galw mynych am arbenigwyr i ryw gyfeiriad; galw am fechgyn wedi arfer gyda cheffylau i ofalu am y cludo; galw am fechgyn i ymarfer â thaflu bomiau; galw am saethwyr da i fod yn *snipers* – cêl-saethwyr; am redegwyr neu negeswyr; a galw am rai i ymuno ag adran yr arwyddwyr, Signallers. Rhoddais fy enw i ymuno â'r arwyddwyr, a bellach ymarfer gyda chelfi ac offer rhain y bûm, dysgu'r *Morse Code* a *semaphore* a'u gyrru ar y fflag a'r teliffon D.3. ac ar yr heulgraffydd (*Heliograph*) ac yn mwynhau y cyfan.

Teclyn dyrys oedd yr heulgraffydd; dibynnai ar belydrau yr haul, y rhain yn llewyrchu ar ddrych, yna yn cael eu hadlewyrchu i ddrych arall a weithid gyda'r llaw i gynhyrchu'r dot a llinell a wnâi wyddor y Morse. Gallai fod yn declyn eitha hwylus yng ngwledydd heulog a mynyddig India a De Affrig, ond yn anhwylus ac anhylaw yn Ffrainc.

Erbyn mis Tachwedd, deuai sibrydion ein bod ar fin symud, a rhyw ddydd tua'i ddiwedd dyna inni drwydded i fyned adref gyda rhybudd pendant i fod yn ein holau yn y gwersyll ymhen wyth awr a deugain. Wrth gwrs, yr oedd yn amhosib mynd a dod i bellafoedd Cymru yn yr amser, oni bai i ddyn fyned i'r tŷ, gofyn sut yr oedd pawb, llyncu cwpanaid o de, a throi ar ei sawdl, heb ddympio'i bac, i ddychwelyd. Nid rhyfedd fod mwyafrif y bechgyn yn cyrraedd y gwersyll yn hwyr.

Trwy ryw lwc, fe lwyddais yn o lew, a rhoddwyd tri arall a finnau at y gard, yng ngofal is-swyddog, a'r hogiau yn driblan i hysbysu eu hunain iddo. Daeth un i mewn, bachgen o'r Sowth, a golwg pur druenus arno. Rhaid bod rhywun wedi dweud wrtho y cawsai ei saethu gyda'r wawr; yr oedd hwn yn hoff ddywediad gan y milwyr, mewn hwyl, pan fyddai unrhyw orchymyn wedi ei dorri. Beth bynnag, yr oedd y truan yma wedi cymeryd y dywediad o ddifrif. 'Caf fy saethu gyda'r wawr' oedd ar ei wefus drwy gydol y nos, oblegid bernid yn ddoeth ei gadw yn yr ystafell warchod. Nid oedd modd ei gysuro na'i ddarbwyllo; nid oedd dim arall i'w gael ganddo. Cadwodd ni oll yn effro.

Aw'd ag ef i'r ysbyty ben bore drannoeth. Ni welsom ef wedi hynny ac ni chlywsom ddim pellach yn ei gylch.

Pennod 4

Ffrainc

Ar nos Wener, Rhagfyr yr ail, 1915, dyna inni rybudd ein bod yn cychwyn o Gaerwynt. Parêd am hanner nos; cerdded i'r stesion, ein pacio i'r trên am Southampton, ein llwytho i long fel defaid; salwch y môr yn amlygu ei hunan. Glaniwyd yn Calais gyda'r wawr a chawsom ein rhoddi mewn pebyll ar gwr y dref, a'n hysbysu fod diod o de inni mewn *canteen* yn y gwersyll. Ninnau yn dympio ein paciau a'n gynnau ac yn ei gwadnu hi am y *canteen*. Dyn a'n helpo, bychan iawn oedd hwnnw; bychan hefyd ei stoc o gwpanau a phrin y te. Rhuthrasom yn ein holau i chwilio am ein· *dixie* i ddal y te a llwyddasom i gael ychydig ddiferynnau i aros brecwast.

Gadawyd y gwersyll gogoneddus am wyth bore Sadwrn. Rhow'd ni ar y trên a'n cau mewn gwagenni; teithio a stopio bob yn ail am chwe awr, yna cerdded tua tair milltir a'n rhoi i gysgodi a chysgu mewn ysguboriau yma ac acw. Yno y buom am rai dyddiau ond yn cael route march neu ddril arall bob dydd. Clywsom lawer gwaith yn yr ysgol fod yr enw Calais yn argraffedig ar galon Mari Waedlyd, a theimlem fod iddi bob croeso ohono. Byr fu ein harhosiad ni yno a byrrach ein croeso. Cawsom fwy o hwnnw ym mhentref bach Mametz – nid y Mametz Wood, yr oedd hwnnw ar ein plât at y dyfodol. Pentref ydoedd hwn ychydig filltiroedd o Aire, a thrigolion caredig iawn yn barod i wneud hynny a allent at ein cysur.

Arthur Price, yn eistedd ar y chwith, gyda ffrindiau,
mis Mehefin 1915, cyn hwylio am Ffrainc ym mis Rhagfyr

Gadawsom yno ynghanol yr wythnos a chludwyd ni mewn bysiau am tua deng milltir ar hugain i le o'r enw Laventie, ac i ffwrdd â ni oddi yno am y ffosydd.

A ninnau yn myned tuag atynt, dyma Bob Roberts o Sir Fôn yn f'ochr yn gofyn, 'Ydan ni yn myned i'r ffosydd o ddifrif?' Minnau yn ateb, 'Glywi di mo'r magnelau yn tanio?' Yntau yn ateb drachefn, 'Hwyrach mai practisio y maent.' Ac mae yn debyg mai dyna obaith pawb ohonom.

Beth bynnag, yn y ffosydd y cawsom ein hunain ac yn cael ein rhannu, Cwmni A ymhlith Ail Fataliwn y Grenadier Guards – i gael ein hyfforddi mewn rhyfela gwarchffos a chael ein bedydd tanllyd. Bûm ar *Sentry* yn y nos – sefyll un awr ar y silff danio, yna cael gorffwys dwyawr. Cefais noson dawel ar y cyfan er y clywid ambell fwled yn taro a gwelid y *Verey lights* yn goleuo y *No man's land*, y tir cydrhwng ein ffos ni ac un y gelyn. Clywais eu bwledi o'u *machine gun* yn taro rat-at-at ac yr oedd ysfa gennyf i godi fy mhen i edrych ymhle yr oeddynt yn taro ond 'Cadw dy ben i lawr' oedd cyngor doeth y Guards.

Cawsom ein bedydd tanllyd hefyd, gan i dân-belen ffrwydro o fewn ychydig lathenni; collasom ddau glwyfedig a chafodd arall druan ei ladd. Cawsom hefyd ein bedydd o rỳm – llond llwy fwrdd ohono i gadw oerfel draw, er mai bron mygu oedd hanes rhai ohonom gyda'r dos gyntaf o hwnnw.

Yn y bore, cawsom gyflwyniad i *fatigue* y ffosydd, a daethom yn gyfarwydd iawn â'r ymholiad 'Any Fusiliers in this dugout?' Y Grenadiers fyddai yno yn ceisio rhai ohonom i wneud rhyw waith – llenwi'r cydau hefo pridd gan amlaf, a rhaid ein bod wedi bwrw ein prentisiaeth yn y grefft honno yn fuan iawn.

Ar un o'r dyddiau yma y cefais fy ngolwg gyntaf ar Winston Churchill. Yr oedd yn edrych arnom yn llenwi y cydau, y sigâr yn ei geg ac yn gwisgo helm ddur (cawsom ninnau rai ychydig wythnosau yn ddiweddarach) – yntau yn Uwch Gadben yn y Guards.

Gadawyd y ffos nos Sadwrn, wedi bod yno ddeuddydd. Adar y nos oeddym bellach gan y byddai symudiad mawr yn y dydd yn esgor ar dân, a daethom i dawelwch gweddol Laventie.

Yno ar ddydd Sul gwyliais y gynnau yn tanio ar un o awyrennau Jerry oedd yn hedfan uwchben – hithau oherwydd ei huchder megis yn ymffrostio yn ei diogelwch.

Troesom yn ôl i'r ffosydd eto nos Lun a myned drwy yr un drin. Roedd yn dawelach y tro yma, er inni gael ein hatgoffa o'n hansicrwydd. Lladdwyd Simon Philips o Lynceiriog, fy mhartner cysgu yn Arley House, pan oedd gyda pharti o wylwyr nos o'r Guards – y rhyfel wedi dyfod i agosrwydd trist ac annymunol. Hefyd yr oedd rhai parau o esgidiau gwm (*gum-boots*) wedi dod i'r Fataliwn, ychydig i bob cwmni, a chefais fy meichio ag un pâr. Erbyn inni gyrraedd y ffosydd yr oedd gwylwyr nos o'r Grenadiers wedi eu nodi i fyned allan i gyfeiriad ffos y gelyn, a gofynnodd un ohonynt, gŵr o'r enw Madden o gyffiniau Caer, i mi am fenthyg yr esgidiau – minnau drwy gydsyniad eraill o'm uned yn eu rhoi. Aeth y parti allan ac i wrthdrawiad â pharti o'r Jerries oedd yno ar yr un perwyl ac aeth yn ymladdfa. Lladdwyd tri o'r gelyn a chymerwyd un arall yn garcharor; collodd y Grenadiers un – lladdwyd Madden – a chollais innau yr esgidiau.

Daethom allan o'r ffosydd nos Fercher ac i'r un bilet. Yno cefais fod llythyr a pharsel yn fy nisgwyl, y parsel wrth lwc yn cynnwys cacen a sigarennau – derbyniol iawn wrth gwrs – ac erbyn bod eraill hefyd wedi derbyn parseli, a phawb am rannu, cawsom ymborthi'n dda y noson honno.

Tra y buom allan y tro hwn y gwelais fy ngêm rygbi gyntaf, tîm o'r uned Gymreig yn chwarae yn erbyn tîm o'r Gwarchodlu. Mwynheais hi yn fawr er i mi dybio mai gêm tipyn yn arw ydoedd. Sylwais fod un gŵr grymus yr olwg yn cael y bêl yn aml iawn gan ei ochr; sylwais hefyd mai nid cynt y cawsai hi fod amryw yn rhuthro arno ac yn ei daflu yn ddigon diseremoni, ac nid taflu esmwyth ychwaith. Bu raid cael trowsus arall iddo ar ganol y gêm, ac ar y diwedd yr oedd ei siersi yn dangos mwy o groen na'r hyn oedd yn ei guddio. Deallwyd wedi hyn mai Uwch Gadben yn un o unedau'r Gwarchodlu ydoedd, a'i fod yn ddisgyblwr llym, a chan nad oes gradd ar y maes chwarae, bod yr hogiau yn manteisio ar y cyfle i dalu pwyth yn ôl a diau fod y Cymry yn deall hynny ac yn barod iawn i helpu.

Pennod 5

Yma ac acw

Y mae'n debyg y'n cyfrifid ninnau bellach fel rhai wedi pasio'r arholiad, a'n bod yn atebol i gymeryd rhan o'r ffrynt ein hunain. Pa un bynnag, ar wahân i'r *fatigue* dragwyddol, ni fuom yn y ffosydd o flaen Laventie.

Caem syrffed o *fatigue*. Yr oedd digon o waith at yr alwad, yn wir fe dybiem ar adegau fod rhywun yn rhywle heb ddim arall i'w wneud ond dyfalu pa waith a gâi inni ei wneud nesaf. Wrth gwrs, byddai tryblith o wifrau pigog o flaen pob ffos flaen, ac os byddai tân-belen yn malurio peth ar hwnnw, rhaid fyddai myned i wneud trefn arno gyda y deuai'r nos. Byddai Jerry yn tanio ei oleuadau i'r awyr ac os y canfyddai ein bod wrthi, deuai tân arnom, a byddai digon o gydau tywod gwag wrth law bob amser.

Cawsom dâl o bum ffranc yn Laventie, a rhaid oedd myned am y cantîn i gael pryd o de a bisgedi.

Troesom ein cefnau ar Laventie i ddychwelyd i Mametz; buom yno am rai dyddiau pur esmwyth, yna symud oddi yno am saith fore Llun a cherdded pedair milltir ar ddeg i bentref bychan yn ymyl Merville a cael ein rhoi i letya mewn adeiladau ffermdy. Yno y treuliasom y Nadolig.

Bu gwasanaeth crefyddol cyffredinol yn y bore yn yr awyr agored a'r Seindorf yn arwain y canu; yna cawsom ginio teilwng o unrhyw ddiwrnod ond y Nadolig – cawsom *skilly* – ac i'n hatgoffa ei bod yn ddydd Nadolig, bwdin plwm, ar draul y *Daily News*. Cawsom hefyd dorth o fara cydrhwng bob tri, tun o *bully beef* rhwng saith, a chaws a jam. Cawsom hefyd siocled, toffi, sigarennau a bisgedi, y rhain o elw'r cantîn, gwerth ffranc – rhyw ddeg ceiniog – i bob un. Gwell na'r cwbl, yr oeddym wedi cael bath yn Merville a da iawn oedd cael hwnnw a dillad glân, gan fod llau yn dechrau ein poeni; bu'r hiliogaeth yma yn driw iawn inni yn y drin.

Tipyn o dreth fyddai y bath yma ar y dechrau. Safem yn rhes o dan gawod o ddŵr – hwnnw weithiau yn oer ac yna yn rhy boeth – pawb yn noeth a rhai yn swil, ond yn gorchfygu'r swildod yn yr olwg am ddillad glân. At hynny, merched Ffrainc fyddai yn edrych ar ôl y golchi dillad a'r baddonau, a hoffter rhai ohonynt fyddai sbecian arnom – yn enwedig os y caent fod rhywrai yn swil.

Buom yn gwneud *route marches* o gwmpas y wlad, dro arall yn gwneud dril nwy, taflu bomiau, a thanio ar y raens, hyd y pumed o Ionawr. Cofiaf y dyddiad gan fy mod yn cael fy mlwydd ar y chweched. Yna gadawsom ardal Merville a chyrraedd lle o'r enw Richesbourg St Vaast. Yr oedd llawer o bentrefi Ffrainc yn dwyn yr un enw a rhoddid gair neu eiriau ychwanegol i ddynodi'r gwahaniaeth. Do, daethom i Richesbourg, neu o leiaf i hynny oedd yn weddill ohono. Nid oedd yma dŷ yn gyfan. Yr oedd y fynwent wedi ei throi yn anialwch a'r beddau ar draws ei gilydd; yr Eglwys wedi ei malurio ond, yn rhyfedd iawn, y Groeslun yn parhau ar ei thraed.

Cefais fy mhen-blwydd yn sŵn y magnelau, a gyda'r nos yr oeddym yn y ffosydd. Lle, wel, melltigedig ydoedd; mwd hyd at hanner ein coesau a llwybr digon brwnt a blêr i fyned i'r ffosydd.

Rhoddwyd Cwmni A yn yr ail linell, a *fatigue* oedd ei hanes hi. Yr oedd gwaith ofnadwy i dacluso y lle a byddem wrthi yn gweithio o'r gwyll i'r wawr a chêl-saethwyr Jerry yn effro hefyd a'u bwledi yn sïo heibio inni fel gwenyn gwyllt.

Yr oedd y Platŵn cyntaf at eu pen-glin mewn dwfr, a doniol hefyd oedd yr olwg gawsom ar Bob Hughes (Betws) un noson. Yr oedd bellach yn cario streip ar ei fraich ac wedi cael ei roi i ofalu am bedwar arall i fyned i safle wrando rhyngom a'r gelyn. Ni fyddai y rhai hyn yn cael eu cyflenwi yn y dydd, a llwybr ar fyrddau dros ffos fyddai yn arwain iddynt. Troi yn ei ôl fu hanes Betws; yr oedd wedi colli'r ffordd bren, wedi myned yn sownd yn y mwd, wedi medru dyfod ohono, ond wedi tynnu ei draed o'r *gumboots*. Yr olwg gawsom ni arno oedd yn fwd o'i ben i draed ei sanau ac yn llusgo yr esgidiau o'i ôl.

Collasom swyddog y tro hwn hefyd, Lt. Thomas, mab i'r Cadfridog Syr Owen Thomas. Yr oedd y creadur wedi edrych dros ben y ffos ac wedi ei saethu yn ei ben – gwers arall ar inni gadw ein pennau i lawr. Nid oedd angen edrych drosodd chwaith oblegid yr oedd gennym ambell *periscope* – amdremur – erbyn hyn; dau fath ohonynt. Un oedd drych bychan y gellid ei sicrhau ar y bidog a sefyll yn y ffos a'n cefnau at y gelyn. Math arall mwy effeithiol oedd tiwb gyda drych a wynebai ffos Jerry a drych arall ar ei waelod yn adlewyrchu yr hyn welid drwy'r llall. Byddai llygad graff rhyw hen gono yn gweled y rhain weithiau ac yn eu malu â bwledi.

Daethom allan o'r lein am sbel o seibiant nos Lun a chael pwnsh rỳm wedi gadael y ffos, a chan ein bod yn wlyb ac oer ac yn wag o fwyd, rwy'n ofni mai ychydig ohonom oedd yn dal sylw ar y ffordd i'r llety.

Cyrhaeddsom hwnnw tua hanner nos a cael ein hysbysu y byddai raid inni droi allan am hanner awr wedi pedwar yr un bore. Yr oedd ein magnelwyr yn bwriadu deffro Jerry ac ofnid y byddai yntau yn bwrw ei lid ar y pentref.

Galwyd arnom ac aw'd rhyw hanner milltir o'r neilltu. Gorweddais ym môn clawdd rhyw adeilad a chysgais yn drwm. Dychwelsom i'r ysgubor yn y pentref wedi gorffen y tanio, ninnau erbyn hyn yn awchus am ein brecwast, eithr yn gorfod troi allan eilwaith, nes cydrhwng popeth yr aeth ymhell wedi canol dydd cyn inni gael y brecwast yr oedd ein cylla yn galw amdano. Cychwynnodd chwech ohonom, tua dau y prynhawn i edrych am y *mail*. Deuai hwn i fyny gyda'r ddogn bwyd yn y nos, a chedwid ef pryd hynny yn y *cook-house* hyd nes y deuem allan o'r lein.

Gyda ein bod yno, dechreuodd Jerry anfon ei gyfarchion drosodd a bu raid inni wneud traed arni o'r cyffiniau. Daeth un ar bymtheg o'i sieliau trymion drosodd ond yn ffodus ni anafwyd neb. Yr oedd y *cook-house* a'r *mail* yn saff hefyd a da iawn oedd hynny gan fod ynddo barsel imi yn cynnwys sigarennau a phethau da eraill.

Cafwyd noson dda o gysgu, cysgu rownd y cloc o saith y nos hyd saith y bore a chael diwrnod reit dawel er ein bod dan rybudd i fod yn barod i redeg unrhyw adeg. Cawsom sioc adeg te; sŵn traed yn rhedeg heibio ein bilet a gweiddi, 'rifles and gas helmets'; ninnau yn troi allan yn llawn ffwdan. Wrth lwc, trodd mai ffwdan ydoedd. Yr oedd Jerry wedi gyrru tair pelen drosodd ond ni bu iddynt ffrwydro. Yn iaith y fyddin 'duds' oeddynt. Yna buom ar *fatigue* drwy'r nos yn trwsio'r argae o'r ôl iddi. Yr oedd y celsaethwyr yn brysur iawn a chlwyfwyd R. E. Roberts Llanrwst. Da iawn oedd gennym gael ymadael â'r lle gyda'r wawr.

Gorfu inni fyned yn ein holau eto dros nos i wneud rhagor o waith wedi cael diwrnod reit dawel ar wahân i ymarfer corfforol ac arolygiad gan y Cyrnol; y noson yn eithaf tawel hefyd ag ystyried ymhle yr oeddym.

Gadawsom Richesbourg am 'Rywle yn Ffrainc' brynhawn Gwener a cherdded i le o'r enw Vieve Chapel, a da oedd ymwared â'r anesmwythyd, y glanhau botymau, y *fatigue* a'r *inspections* mynych. Caem o leiaf arbed y saliwtio di-ben-draw yn y ffosydd.

Cawsom ymborth gogoneddus at y Sul – torth a hanner o fara, dau dun o jam a thri o bwli biff cydrhwng deuddeg. Buom yn cerdded tair milltir gyda phac llawn; cawsom ein brecwast ac arolygu ein gynnau rhag bod baw neu ormod o olew ynddynt. Yna am hanner awr wedi unarddeg, daeth y Cadfridog i arolygu ein lletyau – fel pe bai modd cadw hen ysgubor flêr yn daclus.

Talwyd pump ffranc inni yn y prynhawn ac aw'd i chwilio am rywbeth i'w fwyta a llwyddo i gael dau wy wedi eu ffrio a *chips* – yr wyau yn dair ceiniog a'r *chips* yn bedair, ond dim bara. Yr oedd hwnnw yn brin – cael pryd da er hynny.

Am saith yr hwyr cawsom wasanaeth Cymraeg a'r Caplan, y Parchedig W. Llewelyn Lloyd, yn pregethu yn rymus. Yr oedd yr ystafell yn orlawn a'r canu yn gafael; rhan arall yr ystafell yn Estaminet – tafarn – ac, er mai oedfa dan amgylchiadau rhyfedd ydoedd, yr oedd yn flasus inni.

Cawsom *Route-march* ac *inspection* eto fore Llun; myned i gael bath y prynhawn a gorfod myned â'n gynnau gyda ni rhag inni anghofio fod rhyfel yn bod, mae'n debyg. Yna fin nos, 'Fall in the Follies' a theithio mewn lorïau i Lestrem a pharti cymysg o Loegr yn ein diddori.

Mwynheusom y noson a chyrraedd yn ein holau ychydig ar ôl naw yr hwyr.

Y nos ddilynol yr oedd pedwar ohonom ac is-swyddog yn gwarchod prif orsaf y Frigâd. Wrth gwrs, bu'r gwarchodlu dan inspection hir a manwl cyn cychwyn; eithr pasiodd pethau yn iawn yno ac yn y Frigâd a daeth parti o Fataliwn 13 i gymeryd y gwaith drosodd ymhen wyth awr a deugain.

Treuliwyd gweddill yr wythnos gyda'r drefn arferol, ymdeithio, glanhau botymau a gynnau, *inspections* mynych, taflu bomiau ac yn y blaen. Un diwrnod gwelais gip ar Elgan, un o fechgyn y pentref adref wedi myned i weithio yn y Sowth, yn pasio heibio mewn catrawd o'r South Wales Borderers.

Byddem yn cael hwyl wrth wylio'r llygod mawr yn gwneud eu campau hyd swmerau yr ysgubor yn y dydd, tra yn y nos byddent yn chwarae dal neu rywbeth ar ein blancedi ac yn gwichian fel moch; ninnau yn siŵr wedi gofalu bod ein *rations* allan o'u cyrraedd.

Daeth ein seibiant anesmwyth i ben a throesom yn ein holau am Richesbourg; cyrraedd tua saith yr hwyr a chyn pen awr yr oedd nifer ohonom yn cyrchu *rations* Cwmni C i fyny i'r lein a chyrraedd yn ein holau ychydig wedi hanner nos.

Daeth yn amlwg hefyd bod y Jerry wedi cael cyflenwad o dân-belennau a phrysurodd i estyn croeso inni; eithr yn ffodus yr oeddynt yn ffrwydro'n ddigon pell oddi wrthym – os oedd digon pell mewn bod. Cawsom wasanaeth gan y Parch. Llewelyn Lloyd eto yn yr hwyr a nifer dda wedi cyrchu iddo. Yr oedd ein Caplan yn pregethu'n wych eto; gresyn ei fod mor ddigalon. Nid yw y teip o ddyn i fod yn y fath le; yr oedd rhy wylaidd ei ysbryd a gadawodd ni cyn pen hir.

Bu inni amryw o Gaplaniaid, yn eu plith Peter Jones Roberts (Wesle), H. Jones (Bedyddiwr) a Davies (Offeiriad), yr oll ohonynt yn gwneud eu gwaith yn dda, yn talu ymweliadau â ni hyd y llinell flaen yn y ffosydd ac yn barod bob amser i'n cynorthwyo mewn unrhyw ffordd hyd y gallent.

Cawsom ddril i lawer cyfeiriad y dyddiau hyn, yn enwedig mewn taflu bomiau. Pethau bychain oedd y rhain, ychydig yn fwy na lemon, gyda phin yn sicrhau braich fechan; yr oeddynt yn eithaf diogel hyd tynnid y pin. Byddai hyn yn achosi i'r ffiws oedd ynddynt gymeryd tân – ninnau yn cyfri cant ac un, cant a dau, cant a thri, cant a phedwar, taflu wrth ddweud pedwar. Gellid eu taflu gryn bellter, eithr nid hynny oedd y gamp; rhaid fyddai eu taflu at y nod. Taclau bach digon peryglus oeddynt; byddai eu taflu yn rhy fuan yn rhoddi cyfle i rywun mentrus eu taflu yn ôl a gallai oedi yn rhy hir cyn taflu arwain at beidio taflu dim byth wedyn.

Beth bynnag, euthum i mewn i'r ffosydd i gymeryd rhan o'r lein flaen oddi ar Gwmni C, minnau wedi cael y gwaith o fod yn *trench orderly* i'n Swyddog, a'm swydd ydoedd myned gyda hwnnw pan fyddai yn myned o gwmpas ei ofalaeth, boed ddydd neu nos – ac yr oeddwn yn cael osgoi *fatigues*.

Cawsom *strafe* pur arw un diwrnod, Ionawr y 27ain. Yr oedd Caisar yn dathlu ei ben-blwydd a rhywun yn meddwl mai da o beth fyddai rhoi anrheg inni. Bu Jerry yn tanio am oriau ar ein llinell flaen, minnau yn sylweddoli fod y swyddog wedi diflannu. Prysurais hyd y ffos i chwilio amdano a'm pen yn isel, pawb yn llechu rhag y tân. Cefais ef ymhen rhawg ar ei liniau yn y ffos a'i ben dan y silff danio a rhuthrais i gadw cwmni iddo. Yn ffodus ni chawsom ond un clwyfedig, bachgen o Sir Fôn o'r enw Hugh Jones ac nid oedd yntau wedi ei glwyfo'n ddrwg.

Dechreuodd ein magnelau danio yn ôl a chafodd Jerry newid teilwng am gofio amdanom, hwnnw hefyd yn disgyn o gwmpas ei linell flaen ef. Fel yna yr oedd yn aml; rhyw Swyddog uchel ymhell yn ôl o gyrraedd tân yn rhoi gorchymyn a hynny yn arwain milwyr cyffredin y ffosydd i dalu'r gost.

Cawsom fyned allan am seibiant bach eto; minnau yn f'ôl yn y ffos yn ystod y dydd i ymofyn gwn ac offer Hugh Jones, gweld mai platŵn o Fataliwn 17 oedd yn dal y lein ond methu gweled neb a adwaenwn yn eu plith.

Mwynhawyd gwasanaeth Cymraeg y Caplan fore Sul; yna ar barêd y nos i fyned am ychwaneg o flinder ond daeth gorchymyn i aelodau y Côr syrthio allan. Yr oedd Swyddogion y Fataliwn wedi cael ffrindiau atynt ac eisiau eu difyrru gyda'r arlwy. Canasom amryw o ganigau iddynt a chael cawl a bara a chaws wedi gorffen – y tro cyntaf erioed i mi ganu am fy mwyd.

Cyrchwyd i'r ffosydd eto a chawsom ein hunain yn y llinell gymorth. Golygai hynny bod digon o waith o'n blaenau; felly y bu, dwy awr o waith a dwy o orffwys drwy'r dydd a'r nos. Bu cryn lawer o danio arnom ar ddydd Mercher, yn ffrwd-belennau (*rifle grenades*) a morteri. Tannid y pelennau o ddryll gan ddefnyddio cetris o bowdwr, gyda gwn neilltuol, tiwb haearn rhyw lathen o hyd, a daflai belen o gryn bwysau. Roedd ffurf a maint y belen yn debyg o ran mesur i'r llestri a ddefnyddid i gludo'r rỳm, felly *rum-jars* y'u gelwid hwy gennym.

Yr oedd Bataliwn 14 wedi cymeryd dau Prussian Guard yn garcharorion ar y dydd Llun. Gwŷr ffyrnig oeddynt hwy, a chan bod dydd Iau dipyn tawelach, deuwyd i'r casgliad mai ffarwel y gwŷr ffyrnig inni ydoedd *strafe* dydd Mercher ac mai Bavarians oedd yn ein hwynebu yn awr ac, fel y dywed Luc yn yr Actau 'y rhai hyn oedd foneddigeiddach'.

Cawsom ddyfod allan nos Wener. Cefais innau fy rhoi ar *salvage* yn lle Bob Roberts Sir Fôn – bachgen y practisio ar y ffordd i'r ffosydd ger Laventie – yr hwn oedd wedi ei glwyfo. Fy ngwaith yn awr oedd casglu a glanhau popeth pres, i'w hanfon i ail-lenwi neu ail-doddi. Yr oedd digonedd o getris gwag i'w cael; bûm yn gwneud hyn am rai dyddiau a chefais amser pur dda gan fy mod yn medru dweud wrth yr is-swyddogion ddôi i geisio rhai i fyned ar *fatigue*, 'Cymer fi yn esgusodol'.

Ymhen ychydig dros wythnos yr oedd Cwmni A i fyned ar *fatigue* i'r ffosydd ond cefais orchymyn i ymuno â'r Signallers ar ôl pedwar mis o amser, oblegid yng Nghaerwynt y bûm gyda hwy ddiwethaf. Trodd hyn yn gyfnewidiad pwysig yn fy hanes. Aethom i'r ffosydd y nos ddilynol a bûm ym mhrif orsaf Cwmni A yn gwneud fy sbeliau ar y *D3 telephone* – *Buzzer* i yrru y Morse – a ffôn i siarad. Yr oedd y Morse wedi rhydu tipyn gennyf ond yn dyfod yn well wrth arfer, ac yr oeddym â tho wrth ein pen, digon gwantan yn siŵr ond yn do er hynny.

Tawel fu hi arnom am rai dyddiau, yna symud eto. Cefais orchymyn i droi allan gyda'r bomwyr, yna cael ail orchymyn i droi allan gyda'r arwyddwyr, a da oedd cael ufuddhau i reol sefydlog y fyddin, 'Always obey the last order' – 'as being more congenial to my admitted abilities,' chwedl Wil Bryan.

Erbyn cyrraedd y ffosydd ger Givenchy, yr oedd yn dda odiaeth gennyf, gan fod *sap* (pwt o ffos) oedd yn ymestyn hyd o fewn un llath ar bymtheg i Jerry, ac o hon y byddai y bomwyr yn taflu ato. Adran boeth iawn oedd Givenchy a chafwyd colledion trwm yno. Ardal y twnelu a'r *rum-jars* ydoedd, ac yr oedd y gelyn megis wedi cynddeiriogi nos Sul, ac yn arllwys popeth oedd ganddo tuag atom. Daeth neges ei fod wedi meddiannu'r sap, yna ei fod yn y *front line*; bod nwy yn dyfod drosodd, ninnau yn gwisgo yr helmau nwy. Daeth neges arall yn dweud mai ffug oedd y cyfan, eithr nid ffug o lawer y tanio.

Ar y ffôn oeddwn drannoeth. Yr oedd *rum-jar* wedi dyfod i'r lein ar y tanio mawr, ond yn ffodus heb ffrwydro – dud ydoedd – a daeth ymholiad ar y ffôn o'r Fataliwn am Lt. Powell – swyddog y bomwyr – minnau â *headphone* am fy nghlustiau yn dweud hynny wrth fy mêts ac un yn ateb, 'He is burying the dud' – minnau, heb ei glywed yn iawn, yn camddeall ac yn ateb i'r ffôn, 'Lt. Powell is not here, he is burying the dead,' ac yn methu deall paham y chwerthin mawr.

Bu imi gwmni difyr yng ngorsaf A, gofalwr siriol yn Lyn Prosser o Neath, a dau gynorthwywr yn Aled Parry o Lanrwst a Billy Griffiths o Fangor, a buom lawer yng nghwmni'n gilydd yn y cyffiniau yma, a chafwyd llawer o hwyl a chydweithio hapus. Cefais brofiad sydd yn dal yn fyw iawn yn fy nghof yn ardal Givenchy. Yr oedd i ninnau erbyn hyn arbenigwyr gyda *Trench Mortar* – gwŷr o fagnelwyr yr Adran. Yr oedd hefyd wn peiriannol gan Jerry oedd yn poeni gryn lawer ar y bechgyn yn y ffos. Yr oedd rhywun wedi ei leoli a galwyd am wŷr y morteri i'w symud. Daeth nifer ohonynt i fyny gyda'u hoffer yng ngofal Swyddog, ac archwyd i ddau ohonom o'r Signallers i fynd gyda hwy – mi gyda'r *battery* i'r ffos flaen, a'r llall gyda'r Swyddog i bost gwylio, a ffôn gennym ill dau. Yr oedd gwifren eisoes wedi ei rhedeg o'r naill le i'r llall. Yr oedd y Swyddog draw yn pasio'i gyfarwyddiadau i fy mêt, yntau yn eu pasio ymlaen, a minnau yn eu cyflwyno i'r sawl oedd yng ngofal y *battery*. Wedi cysylltu a phrofi'r wifren dyna ddechrau.

'Range 150 yards.'

'Range 150 yards,' meddwn innau.

'Fire when ready.'

'Fire when ready.' Dyna'r ergyd gyntaf allan a minnau yn swatio mewn braw, sŵn yr ergyd yn cael ei ddilyn gan ffrwydriad.

'Lengthen ten yards.'

'Lengthen ten yards' – tân a ffrwydriad.

'Ten degrees more left.'

'Ten degrees more left' – tân a ffrwydriad.

'Five degrees more right.'

'Five degrees more right' – tân eto a ffrwydriad.

'Machine gun up aloft, cease fire.'

'Machine gun up aloft, cease fire,' meddwn innau gydag ochenaid o ryddhad. Ond nid oedd yr helynt drosodd; yr oedd Jerry wedi sbotio y *battery* ac yn dechrau sielio. Edrychais o'm cwmpas a gweled neb. Gwyddent hwy beth i'w ddisgwyl – minnau heb ystyried. Bwnglerais i ddatgysylltu y D3 a'i bachu hi i chwilio am le iachach, arafu ymhen tipyn, a thoc dod i gyswllt â hogiau'r 14 Fataliwn oedd yn dal y ffos a Sarsiant Owen o'r pentref yma mewn siars. Siaredais tipyn gydag ef; doedd dim brys bellach a deallais iddynt gael eu gorchymyn i glirio o gyffiniau y *battery*; deall hefyd bod y *machine gun* a'i griw wedi eu symud yn reit effeithiol.

Yr oedd pethau wedi tawelu yn go dda erbyn hynny, a chefais innau fyned yn fy ôl hyd y ffos ac adref i'r bilet.

Dychwelyd ddarfu inni i'r lein eto ymhen tridiau a

chael ein rhoi ychydig i'r dde i'r hyn oeddym gynt. Yr oedd yn dawelach yma, er inni chwythu orglawdd (*mine*) i fyny y noson gynt. Yr oedd yn bur oer, a thipyn o eira ar y ddaear, honno wedi rhewi'n galed – blinder ychwanegol, gan fod y talpiau pridd rhewllyd bron galeted â'r haearn ddoi oddi wrth ffrwydriadau y pelenni.

Anfonodd Jerry dipyn ohonynt drosodd fin nos cyn inni adael y ffosydd, a chafodd ragor yn ôl. Ni wnaeth ei rai ef fawr niwed; disgwyliem bod ein rhai ni yn gwneud mwy. Cerddasom o'r lle yn ystod yr hwrli, a chychwyn am lety newydd. Cyrhaeddsom bentref Gorre a chael hyd i le i gael pryd o *chips* ac wyau, yna ail gychwyn am ryw bentref dieithr a dyfod o hyd iddo wedi inni flino yn enbyd. Treflan fechan ydoedd cydrhwng Bethune a Locon – y tai yn brin ac ymhell o'u gilydd. Yr oedd y tywydd yn fudr ac oer ond cefais hamdden i sgrifennu gartref a chefais ambell sgwrs â'm brawd, Arthur, gan fod Bataliwn 13 heb fod ymhell oddi wrthym. Buom yn Hinges am wyth niwrnod. Cawsom olchfa hyfryd tra yno; cawsom dâl o ddeg ffranc hefyd – yr ail ym mis Mawrth.

Symudwyd ddydd Iau i Le Touret, pellter o un filltir ar bymtheg, a cawsom ein lletya yn y pentref ac yng ngorsaf y Cwmni. Yno cafodd pedwar ohonom ryw anhwyldeb – annwyd trwm ac anhwylder stumog. Nos Lun yr oeddym yn ein holau yn y drin, a chael ein hunain yng nghwr Festubert, ardal yr ynysoedd, a Jerry yn anfon stoc o bedwar ugain o'i sieliau trymion dros ein pennau i geisio parlysu magnelfa i ni, yn amlwg. Blinem gryn lawer arno, ond swm y difrod wnaeth oedd buwch a mochyn perthynol i dafarndy.

Cawsom dipyn o fiwsig yn y ffos y nos honno, a daeth y neges a ganlyn drwodd, 'Enemy quiet but waxes facetious – entertaining Island garrisons with "Tom Bowling"!' Buasai Cân y Mochyn Du yn well, oblegid diau mai llawenhau am ddifodi y fagnelfa yr oeddynt. Daeth neges arall, 'Enemy latrine seen with one occupant; fired one shell and occupant was blown in or out.'

Pennod 6

Pantomeim

Yr oedd rheilffordd gul wedi ei gosod o'r ffosydd i'r ffordd fawr ger Festubert. Nid oedd modd cael ffos gysylltu oherwydd yr iselder a dwfr. Bu nifer ohonom i lawr hefo'r troli un noson i gyfarfod y cludwyr i gyrchu'r *rations*. Cychwynnwyd, ac yn fuan iawn cerddodd yr Is-ringyll D. Evans (Aberafon) i'r dwfr at ei hanner a bu raid iddo droi yn ôl. Dyma ni yn ail-gychwyn, pawb yn gwenu am mai fo ac nid ni oedd wedi cael y drochfa. Gorfu inni droi y troli ar ei ochr ddwywaith er i eraill a'u llwyth basio. Cyrhaeddwyd y cludwyr; gwelais gip ar Steve Morris yn y tywyllwch ond dim amser i siarad. Cychwynnwyd yn ôl gyda'r llwyth; dyma Sarsiant D. Williams yn diflannu yn y dŵr, ac yn dyfod ohono fel llygoden ddwfr.

Yr oedd Jerry yn gwybod am y ffordd haearn. Byddai yn tanio ati yn aml, yn ei malurio weithiau ac yn methu llawer, a'i hochrau o ganlyniad yn dyllau lawer a'r rhain yn llawn o ddwfr. Yn y rhain y cafodd ein his-swyddogion ddau eu *bath*. Nid gwaith dedwydd oedd gan y cludwyr ychwaith; rhaid oedd danfon y ddogn bwyd bob nos a chan mai ffyrdd palmant cerrig geid amlaf yn Ffrainc, ac olwynion dur a phedolau yn gwneud cryn drwst arnynt, a chlust Jerry yn fain, nid rhyfedd ei fod yn tanio i'r cyfeiriad. Nid rhyfedd ychwaith, yn siŵr, bod y cludwyr yn awchus am droi yn ôl.

Yr oedd yr annwyd yn dal arnaf; bûm at y Doctor ddau

fore, ond 'Medicine and duty' fu hi. Dwy bilsen number 9 oedd y ffisig, ffisig diffuant y fyddin at bob anhwylder, boed losg eira neu ergyd yr haul. Byddai meddyginiaeth hen wàg o Gwmtirmynach, glywais mewn archwiliad cymorth cyntaf ychydig cyn y rhyfel, yn fwy effeithiol. Doctor Williams o'r Bala oedd yn ein holi yn stesion Frongoch – a chwestiwn Bob oedd, 'Beth wnaet ti, Bob, pe caet afael ar ddyn wedi cael sunstroke?'

'Wel, dwn i ddim,' meddai Bob, 'os na fuaswn yn chwilio am ddyn â llosg eira arno, a rhwbio'r ddau yn ei gilydd.'

Aethpwyd yn ôl i'r ffosydd eto, a chael amser pur dawel tra buom yno. Daethom allan ymhen pum niwrnod a theithio i La Paneri a thri ohonom yn cael ein dethol i fyned i ddosbarth arwyddo yn y Frigâd weddill yr wythnos. Yr oedd gwell bwyd yno, lletty gwell a llonydd i gysgu'r nos. Dychwelwyd i'r fataliwn y Sadwrn. Gadawyd La Paneri am chwech bore Llun, a throi eto am Gorre. Yno cawsom dâl o bum ffranc – a phryd o *chips* ac wyau. Chwythodd Jerry fwnglodd i fyny yn y ffosydd bore Llun a cafodd bataliwn 15 gryn golledion. Aethom ninnau a'r 13 i mewn bore Iau, minnau yn y platŵn gan nad oedd ond pedair gorsaf. Cawsom amser pur dawel er i *whiz-bang* ffrwydro mewn llath i'n *dugout*. Cefais hyd i'r *nose-cap*, oedd wedi ei lunio o alwminiwm, a bûm wrthi lawer tro yn ei naddu a'i golstro i geisio llunio modrwy ohono.

Rhyddhawyd ni ymhen pedwar diwrnod; teithiwyd i Gorre a bore drannoeth i La Paneri ac aros noson yno, yna teithio i le o'r enw Estaires; tref helaeth, ac yn lanach na'r lleoedd yr oeddym wedi bod ynddynt. Cawsom ein lletya mewn melin fawr, y Fataliwn yn gytûn, a chan bod pum llawr iddi, cryn waith dringo i'r top.

Gadawsom Estaires tua hanner awr wedi dau un

prynhawn a chawsom daith o ryw chwe milltir i ddod i'r ffosydd a chael ein hunain mewn gwlad ddieithr, Laventie ar y chwith a Neuve Chapelle ar y dde. Lle digon poeth oedd hefyd, gan fod celsaethwyr a'r peiriant-ynnau yn brysur. A pha ryfedd, onid oedd yr enwog Auberge Ridge o'n blaenau, a Jerry, yn ôl ei arfer, wedi gofalu am fod yn ŵr pen domen. Go brin oedd y ddogn bwyd hefyd, torth rhwng chwech am y dydd. Wrth gwrs, caem hefyd rai bisgedi caled – yn eithaf blasus os byddai gan ddyn ddannedd da a digon o amser. Mewn gorsaf oedd yn dwyn yr enw Pump-Keep y bu tri ohonom y tro hwn am dri diwrnod; ein anheddle yn mesur tua chwe throedfedd wrth bedair, ac yn bedair o uchder. Rhaid oedd parhau mewn gostyngeiddrwydd, ond yr oedd yn gysgod. Daeth hogiau Cymry Llundain i'n rhyddhau, a ninnau yn myned am seibiant i'r pentref.

Bu nifer ohonom ar *fatigue* yn y ffosydd yn gwneud ffos gefnu newydd nos Wener y Groglith, a daethom yn ein holau yn wlyb at ein croen. Roeddym yno eto nos Sul y Pasg gan gyrraedd yn ôl am un y bore.

Gadawsom Ritz am hanner awr wedi unarddeg fore Llun y Pasg – rhyfedd fel yr oedd y fyddin mor hoff o'r hanner oriau – a theithio i Estaires a Lagorgue a heibio Merville i gabanau cysurus, gwaith ugain munud o gerdded i Merville.

Codasom am bump fore trannoeth, a cherdded deng milltir i chwilio am le i saethu; cawsom o hyd i'r raens, honno heb fod yn barod, siwrne ofer ar ôl codi'n fore. Mewn dosbarth arwyddo yn y Frigâd yr oeddwn eto drannoeth, a chael ychydig ddyddiau braf yno; digon o ymarfer y mae'n siŵr ond mewn pantomeim o eiddo'r Cyclist Brigade yr oeddwn nos Iau a Gwener, ac mewn cyngerdd ym Merville nos Sadwrn, mater o geisio cynhaeaf tra bo'r haul yn tywynnu.

Aethpwyd yn ôl i'r fataliwn nos Sul; yn y ffosydd nos Lun yn yr hen lein, y ffosydd wedi eu gwella. Cefais fy rhoi mewn gorsaf tu ôl i'r lein flaen. Taniodd Jerry yn ffyrnig fore Gwener gan dorri y gwifrau teliffon yn yfflon. Rhedwyd i'w trwsio a chawsom ein rhyddhau yn y prynhawn a chael gorchymyn i fyned i gymeryd drosodd yn Laventie East post. Bu'r gelyn yn brysur iawn nos Sul; taflodd gannoedd o sieliau i'n lein rhwng tri a hanner awr wedi yn y bore. Taflodd hefyd amryw ar y post yr oedd y trydydd blatŵn yn ei ddal, ond yn ffodus ni anafwyd neb.

Aeth tri o fechgyn Cwmni A am Loegr nos Sadwrn; yr oeddynt wedi apelio a chael eu comisiwn. Dymunwyd pob hwyl iddynt, er yn eiddigeddus am y caent gryn amser adref cyn eu hail-anfon allan. Gofidiwyd peth yn eu cylch hefyd o gofio mai oes fer, yn gyffredinol, a gâi'r is-gadbeniaid.

Cefais olygfa drist ben bore'r Sul – un o fechgyn y cwmni yn farw a'i ymennydd allan. Meddyliais fel yr oedd anlwc a lwc mor agos i'w gilydd. Aethom i'r ffosydd ddydd Mawrth, mynd i orsaf cwmni A yn yr un pedwarawd. Taniodd Jerry gryn lawer ar y lein i'r dde inni a chafodd gorsaf rhif 3 rai colledion. Ar wahân i hynny pasiodd y pedwar niwrnod yn weddol dawel ac yr oeddym yn methu deall paham yr oedd ein magnelau ni mor ddistaw. Deallwyd wedyn eu bod ar *rations* o chwe siel y gwn y dydd. Yr oedd llawer o regi a dwrdio ar Asquith am hyn, pa un bynnag ai ef ynteu arall oedd yn gyfrifol.

Daethom allan eto i Laventie brynhawn Sadwrn. Cawsom dâl y Sul ac o hynny hyd ddydd Mawrth ni wnaethpwyd llawer ond cicio pêl-droed, ac eistedd yn y Parc. Lle prydferth oedd yn siŵr cyn i greithiau'r rhyfel ymddangos ynddo.

Band y Bugles gydag Arthur, brawd Tom Price, y chweched o'r chwith

Symudasom o Laventie i Merville ddydd Mercher, taith hir a blin. Treuliwyd drannoeth yng ngorsaf y Cwmni, a chael ymarferiadau mewn darllen y Morse ar y fflag a'r lamp, gan amau tybed a oedd ymladd agored ar y cynlluniau.

Treuliwyd y Sadwrn ar y raens, y 13 a ninnau. Yr oedd Arthur, fy mrawd, yno o'r 13 gyda'i *Bugle* – yr oedd yn y *Bugle Band* er dyddiau Llandudno, minnau o'r 16 gyda'r teliffon. Cafwyd cystadleuaeth saethu rhwng y ddwy fataliwn; yr oedd y canlyniad yn glòs, ond o blaid y 16!

Yn yr orsaf yr oeddym ar Sul y Sulgwyn – dim neilltuol, na'r Llungwyn na'r Mawrth. Aethom i Lagorgue ddydd Mercher, gwisgo ein helmau nwy a myned am dri munud i'r ystafell nwy, a chael y bodlonrwydd o wybod eu bod yn foddhaol. Cafwyd gêm griced yn y prynhawn a Chwmni C yn curo.

Daethom o Merville i Riez ddydd Iau, ac yn yr hwyr aeth ein pedwarawd i bost Rouge Croix (y Groes Goch) a chael yno le difai. Yr oedd yr awyrennau yn brysur iawn o'r ddeutu y dyddiau hyn, a'r magnelau yn tanio nawr ac yn y man.

Daethom o'r ffosydd ddydd Sadwrn; bu'r Sul yn hynod o braf, a ninnau yn torheulo. Anfonodd Jerry ddwsin o sieliau Shrapnel – yr oedd y rhain yn ffrwydro yn yr awyr – ninnau yn llechu fel cwningod, a dim ond y gwyliwr yn cael ei glwyfo. Troesom i'r ffosydd eto nos Fawrth; bu'r Mercher yn weddol dawel hyd saith yn yr hwyr, pryd y dechreuodd Jerry dan-belennu'n ffyrnig. Yna bu'r ddwy ochr wrthi yn wyllt am ddwy awr dda.

Bu'r 16 yn ffodus iawn, ond yn colli un, eithr collodd y 13 dros ddeugain; minnau yn cael *near miss* gan i Shrapnel ffrwydro uwch ein pennau fore Gwener pan oeddym yn ymolchi. Cafodd Nestor Price yn fy ymyl glwyf cas yn ei goes, a dyma fo yn holi, 'Is it a Blighty?'

Pennod 7

Wrth y Somme

Bu rhai o wŷr y Gloucesters gyda ni am hyfforddiant yn helynt y ffosydd y tro diwethaf y buom ynddynt, a daeth rhagor y tro hwn, sef nos Iau, minnau mewn gorsaf yn Duck's Bill. Cawsom straff fechan yn y nos, ond pasiodd yr amser yn weddol dawel ar y cyfan. Daethom allan brynhawn Sul wedi i Adran chwe deg un (61st Division), gwŷr Caerwrangon (Worcester) a Chaerloyw (Gloucester) gymeryd ein lle.

Teithiasom ninnau i Lagorgue gan aros noson yno a theithio deng milltir drannoeth i Gonnehem, aros diwrnod yma, yna naw milltir arall i Auchel ac aros noson yma. Daeth y *Daylight saving* i weithrediad – i ryw bwrpas – ninnau yn cael ein codi am hanner awr wedi pedwar yn yr amser gwirion. Cerddasom rhwng deg a deuddeng milltir i Ostreville, a phentref hynod oedd, y tai mor brin a gwasgaredig fel cyrains mewn ambell deisen. Cawsom le i wneud gorsaf y Cwmni ac er bod cwt mochyn un ochr ac ystabl yr ochr arall, nid oeddym yn cwyno am y lle.

Cawsom amser tawel y Gwener a'r Sadwrn, yna cerdded deng milltir i gael bath y Sul. Hefyd, cawsom ymarferion ar gyfer brwydro agored eto, ein cerdded gyda pac llawn am wyth milltir bob dydd. Roeddym yn codi am dri yn y bore, cychwyn am bump, a dyfod yn ein holau am hanner awr wedi deg. Clywsom fod Jerry wedi arllwys bomiau ar St Pol ddydd Iau gan wneud cryn ddifrod.

Roeddym allan y Sadwrn ar gynllun Brigâd. Gwelais gip ar John Williams a Morsyn o'r pentref, ac Arthur. Buom allan drwy'r Sul hefyd a chael diwrnod rhydd y Llun. Gadawsom Ostreville am hanner awr wedi pump y pnawn am le o'r enw Buire de Bois gan basio drwy St Pol a gweld ei fod yn le nobl a helaeth; ninnau yn teithio trwy'r glaw a chael hamdden i sychu'n dillad y Llun.

Dyma gychwyn eto nos Fawrth – elfen o ddirgelwch yn ein symudiadau bellach. Daethom i Pronville, rhyw naw milltir. Cychwyn eto noson arall gan gerdded pymtheg milltir a dyfod i Punchvillers, a dechrau sylweddoli ein bod ar y Somme; sylweddoli rhan o gost aruthrol yr ymgyrch honno, oblegid yr oedd cerbydau yn pasio drwy'r pentref yn llawn o glwyfedigion gydol y dydd. Dyma deithio'r nos eto a dyfod i Lealvillers, naw milltir arall; yma hefyd yr oedd cludo clwyfedigion lawer, ein rhai ni a rhai Jerry yn ddiwahaniaeth. Aros yno dros y Sul, Gorffennaf y 3ydd, ac ailgychwyn nos Lun gan deithio deng milltir a chyrraedd Remicourt, a chysgu gweddill y nos allan dan y coed. Daeth i lawio yn y prynhawn a chawsom fyned dan do. Roedd *Church Parade* ddydd Mercher a bath, pacio popeth yn y prynhawn a mynd am y ffrynt. Cafwyd o hyd iddo yng nghyffiniau Fricourt – neu o leiaf lle y bu pentref o'r enw. Nid oedd tŷ ar ei draed yno ac roedd yn le garw, Jerry yn tanio atom yn ddibaid.

Collasom amryw, yn eu plith Stanley Pugh, un o'r ddau gyfaill ddaeth drosodd o'r Amerig i ymuno â ni. Daethom allan nos Fawrth a chysgu yn yr agored o dan ein *ground sheets* – dim cymaint o gysgu ychwaith gan fod y magnelau yn tanio. Myned i'r lein eto nos Wener, a chael ein hunain yn White Trench, hen ffos i Jerry ond wedi ei hail fedyddio'n 'White' am ei bod wedi ei thorri mewn tir sialc.

Cafodd Billy Griffiths a minnau ein hunain mewn *dugout* ag ôl brys arno; rhyw chwe modfedd o bridd oedd ar ei do a *dugout* dwfn o waith Jerry yn ymyl gan y swyddogion!

Daeth sŵn siel *coal box* o'r pellter ac yn chwyrlïo yn nes, nes i'n dugout; ffrwydriad dychrynllyd yn ymyl; ein cysgod yn crynu. Clywsom sŵn griddfan yn y ffos tu allan. Dyma godi cysgod a gweled rhywun yn cropian hyd y ffos ac i lawr y grisiau i hafan y swyddogion – y sarsiant wedi cael *shell shock*.

Bu bron i ninnau gael *shell shock* fore trannoeth pan welsom fod twll y siel bron iawn â chyrraedd ein llety. Buasai pum llath arall wedi darfod amdanom ni a'r teliffon!

Buom yn paratoi i fyned i'r frwydr dair noson. Aethom allan o'r ffos wen a gorwedd yn rhesi ar y ddaear; ein magnelau yn tanio dros ein pennau a'r ddaear danom megis yn crynu gan daranau y gynnau a churiadau ein calon.

Pennod 8

Ymgyrch Mametz

Cychwynasom o ddifrif fore Llun, Gorffennaf 11, wedi bod yn ymgasglu yn y *No man's land* a thanio dychrynllyd yn mynd ymlaen. Rhwymodd Cyrnol Garden ei hances ar flaen ei gansen a cychwynnodd gan ddweud, 'This will show you where I am, boys,' a ninnau yn ei ddilyn. Dyna lechwedd yn ymagor o'n blaenau, a gynnau Jerry yn ein dal o goed Mametz, a'r magnelau o'r pellter wedi ymwylltio, a'r hogiau yn syrthio ar bob llaw, a'r Cyrnol yn eu plith.

Cyrhaeddsom hen ffordd gysgodol wedi cael gwaelod y llechwedd, a rhyw hanner canllath o'r coed. Yr oedd llawer o glwyfedigion wedi ymlusgo iddi, eraill yn llonydd am byth. Ymlaen â ni wedyn am y coed, y rhain bellach wedi distewi, a chanfod amryw o gadachau gwynion ac amryliw yn eu cwr. Galwyd ar y Jerries i ddyfod allan, a mintai gref yn dod dan waeddi 'Kamerad'.

Syrthiais i mewn yn un o ddwsin i fyned â hwy allan o'r lein heibio prif orsaf y Fataliwn a'u hebrwng rai milltiroedd i dref o'r enw Bray, eu trosglwyddo i ofal eraill yno, cipio tamaid o fwyd, a myned yn ein holau am y coed. Ni fu lawer o wrthwynebiad yn y coed. Yr oedd Jerry yn cilio'n ôl neu yn rhoi ei hunan i fyny; bu inni basio amryw wrth ddyfod o Bray.

Yn y coed y buom drwy'r nos yn gwylio rhag gwrthymosodiad. Cafodd Billy Griffiths a minnau ein gyrru hefo neges at y Cadben Hunkin – y fo bellach yn ben y fataliwn – 'May the men now eat their rations?' Chwiliwyd yn hir amdano yn y coed; yntau yn ateb 'Not yet,' a dyma dynhau ein beltiau. Rhyddhawyd ni rywdro yn y prynhawn a daethom yn ein holau i'r ffos wen.

Cawsom damaid o fwyd yno, yna bu raid inni fyned yn ein holau i'r coed i gladdu y Jerries. Yr oedd ein *stretcher bearers* wedi bod wrthi yn ddygn iawn yn cario ein meirw ni a'r clwyfedigion yn ddiwahaniaeth i gyrraedd cludiad.

Rhyddhawyd ni fore Mercher gan y drydedd Adran, '3rd Division', a daethom allan i le a elwid Citadel. Yr oedd *roll-call* digalon iawn yno, mwy heb ateb i'w henwau a rhifau nag oedd yn medru. Teithiasom oddi yno i Grove town, hefo'r trên i Longren, a cerdded oddi yno i le o'r enw Ailly.

Dyma symud eto drannoeth, dydd Gwener, i Briscumpes, a'r Sadwrn, teithio mewn bysiau i St Leger, ac aros yno am ddeuddydd. Cafwyd *inspection* gan Gadfridog y Corfflu – ymhle y bu ef tybed? – a dyfod oddi yno i wersyll am y nos. Symud eto ac aros noson, yna ymlaen a chyrraedd i ymyl Mailly-Maillet.

Yn y lein ar *fatigue* yno cefais brofiad newydd, torri twnnel o'n ffos i gyfeiriad lein Jerry, gyda'r bwriad o chwythu honno i fyny. Yr oedd ymosodiad Prydain yn nechrau Gorffennaf wedi methu yma; yr hogiau yn rhuthro i fyny'r bryn, a Jerry ar y crimp ac yn eu medi i lawr, ac at hynny wedi chwythu mein dan eu traed.

Wrth gwrs, hogiau o'r Royal Engineers oedd yn ein cyfarwyddo. Buom amryw o weithiau dan eu cyfarwyddyd wedi hyn, hwy yn gwylio, ninnau yn gweithio, a buan y daethom i adnabod yr R.E.s fel 'Rest easies', oblegid ystyrid grwgnach fel un o rinweddau milwr. Nid oeddym yn hidio am y gwaith. O lonyddu am funud fe glywem sŵn Jerry yn tyllu ei hunan, ond gwyddem nad oedd perygl tra clywem ef yn gweithio. Wedi iddo beidio y byddai hynny, gan y byddai bellach yn dechrau cario pylor i mewn. Er hyn, nid sŵn difyr oedd sŵn y dyrnu.

At hyn, yr oedd yn rhaid arnom gario'r pridd gryn bellter o'r twnnel rhag i lygad craff awyrennwr ei weld a hysbysu gwŷr y magnelau. Gwaeth na'r cwbl, yr oedd ein cyflenwad bwyd wedi torri i lawr. Buom yno o'r pymthegfed o Orffennaf hyd y chweched ar hugain, yn gweithio'r nos ac yn llygindio byw y dydd ar fisgedi caled a bwli biff. Nid yn fuan yr anghofio neb ohonom y mis Gorffennaf hwnnw.

Gadawsom Mailly, gyda diolch, ar yr wythfed ar hugain, ac wedi cerdded chwe milltir daethom i le o'r enw Bus. Buom yno am noson, yna ymlaen i Thieves, cael trochfa yn yr afon yno a llwyddo i brynu ychydig fara gan y trigolion. Dyma gerdded chwe milltir arall at y trên a theithio fel gwartheg yn hwnnw am wyth awr, ninnau yn rhedeg at yr injian bob tro y caem stop i geisio dwfr poeth ohoni i wneud te. Cyrhaeddwyd Poperinghe, yna cerdded deuddeg milltir oddi yno i Herzeele drwy wres mawr.

Buom yno ddeuddydd, yna cerdded yn ôl i Poperinghe, a chael ein rhoddi yn K camp mewn cabanau hwylus, y 13, 15 a'r 16 yn yr un gwersyll. Cawsom dair wythnos hynod ddifyr yno, tipyn o filwra, y mae'n wir, ond ysgafn iawn, a'r trigolion yn groesawgar a charedig.

Pennod 9

Ypres

Cawsom waed newydd i'r unedau yn ystod y tair wythnos; drafft o Loegr i wneud i fyny am ein colledion. Yr oeddym ninnau wedi newid gwlad, oblegid yn nhir Fflandrys yr oeddym bellach, a llanerchi o hopys tal yn olwg gyffredin a'r tir yn od o ffrwythlon, a'r llefrith yn rhad a blasus

Symudasom eto ar yr ugeinfed o Awst, a chyrraedd y ffosydd ar y chwith i Ypres enwog, y rhain o boptu Camlas Yser, hwnnw tua deg llath ar hugain o led a thrafnidiaeth y dwfr wedi ei atal yn llwyr, a dim ond dŵr llonydd a budr ynddo.

Yr oedd ein llinell flaen ar ochr ddwyreiniol y camlas, a'r llinell gymorth ar yr ochr orllewinol, tair pont bren digon sigledig yn ei groesi, gyda hen sachau ar eu canllawiau yn gysgod. Nid oedd llawer o dramwyo ar ddwy ohonynt, oblegid y drydedd oedd yn arwain o'r llinell gymorth i'r ffos gyswllt a'r llinell flaen.

Delid y lein ar y chwith i ninnau gan wŷr Belgium, ac yr oedd y ddwy linell yn croesi'r camlas dipyn o bellter yn uwch ar y chwith, a Jerry felly yn medru saethu hyd-ddo at y bont. Yn wir yr oedd y bont wedi ei bedyddio yn 'Blighty Bridge' ymhell cyn i ni gyrraedd yno, a chadwodd ei henw a'i nodweddion tra y buom yno. Byddai bwledi Jerry wedi colli gryn lawer ar eu grym oherwydd trafaelio o bell i'r bont, a byddai tarawiad gan un o'r rhain yn debycach o arwain i glwyf nag i ddim gwaeth. Byddem yn gwneud pum niwrnod yn y llinell flaen, yna pump yn y llinell gymorth, ac ar yn ail felly y buom am bedwar dydd ar ddeg ar hugain yn barhaus; ninnau yn dechrau meddwl ein bod i fod yno weddill y rhyfel.

Yr oeddwn erbyn hyn yng ngorsaf y fataliwn, a bu'r rhanbarth yn weddol dawel am ychydig ddyddiau. Ond yr oedd Jerry yn gwylio'r symudiadau. Yr oedd ef ar grib y Pilkem Ridge. Ac at hynny, yr oedd rhes o falwnau sylwi o boptu'r lein; y rhai hyn yn rhwym wrth wifren gref, gyda winch i'w tynnu i lawr dros y nos, ac yr oeddynt wedi eu llanw â nwy hylosg. Weithiau byddai awyrenwyr Jerry yn dyfod drosodd ac yn tanio tuag at ein balwnau ni; aent hwythau ar dân, a rhaid fyddai i'r ddeuddyn oedd ynddynt neidio i'r gwagle, a dibynnu ar effeithiolrwydd eu *parachutes* i gyrraedd daear. Gwelsom Jerry yn dod drosodd un bore braf ac yn ymosod arnynt, y naill ar ôl y llall, naw ohonynt, ac yn dianc yn ddianaf; ninnau yn edmygu ei fenter, ond yn rhyfeddu nad oedd un o'n hawyrenwyr o'i gwmpas.

Yn wir, yr oedd yn feistr yr awyr y cyfnod hwnnw; byddem yn gwylio llawer ysgarmes uwchben – a Jerry fel rheol yn drechaf. Yr oedd eu gweled wrthi yn troi a throsi yn olygfa dda, er bod y canlyniad yn ddifrifol.

Dau bla mawr ffosydd Ypres oedd y llau a'r llygod. Yr oeddym yn fyw o'r llau ymhell cyn pen y tri deg pedwar diwrnod, a nefoedd fach wedi eu gorffen oedd cael bath a dillad glân. A'r llygod – ych – gwaeth o lawer na'r rhai y dysgasom amdanynt yn yr ysgol ers talwm yn y 'Pied Piper of Hamelin'. Doedd dim gobaith am noson dawel o gysgu; gynted ag y byddai wedi tywyllu byddent hwy yn hawlio'r *dugout* ac yn prancio a gwichian drosom, a champ go fawr fyddai cadw y *rations* rhagddynt.

Cymerodd Preston, bachgen o Dywyn, Meirionnydd – gweithredydd radio ar longau y Bibby Line ac felly 'Bibby' inni – cymerodd yn ei ben i ddal rhai ohonynt mewn trap, torri eu cynffonnau cyn eu claddu, a'u hongian ar foncyff coeden oedd ger y *dugout*, ac ymhen yr arhosiad hir hwnnw yr oedd pedwar ugain a deg o gynffonnau hirion yn hongian, a naw deg o lygod yn llai o'n cwmpas, er y byddai raid wrth gyfrifydd craff i sylwi hynny, gan fod yr hiliogaeth yn dal yn niferus, ond nid yn nerfus.

Gadawodd Bibby ni cyn pen hir iawn ar ôl hyn, ac aeth at Adran y radio – a byddaf yn clywed oddi wrtho bob Nadolig.

Daeth imi gyfeillion newydd wedi dod o'r brif orsaf, a mwy o gysur ac o ddiogelwch. Yn eu plith yr oedd Neville Williams o Holywell, milwrwas y Meddyg, bariton da a bachgen caredig, Bibby, Bob Rowlands o Fangor, Pearce a Sammy Neep o sir Darbi, yr Is-ringyll Dai Evans (Aberafon), Lippiart o Drimsaran, Emery (March), Humphrey Jones (Pontfadog ac Arley House) Humphreys a'r Padre (Arley House), Glynne Davies o'r De, a Ianto Rowlands (Aberystwyth). Ianto oedd fy *mate* mwyaf, ac un byw ydoedd. Bu rai blynyddoedd ar y môr cyn bod yn sowldiwr, bachgen byr, rhy fyr i fod yn siapus ond digon o ysbryd ynddo i wneud i fyny am hynny. Eithriad anarferol fyddai iddo fod yn ddigalon a llawer tro y cododd ei wên a'i ffraethineb ni o'r 'dumps'. Emery, Lippiart, Neep a Bob Rowlands, Ianto a minnau fyddai yn gweithio ar y ffôn. Yr oedd dwy o'r rhain a gweithiem arnynt yn gyplau, un ffôn mewn cysylltiad â'r Frigâd, a thrwy'r Frigâd at gatrodau eraill yn yr Adran, a'r llall yn gysylltiedig â'r Cwmnïau yn y lein.

Gwaith Bibby, Pearce, Glynne Davies a Humphrey Jones

Arthur Price, yn ei wisg filwrol

fyddai edrych ar ôl y gwifrau, a lawer gwaith bu raid iddynt droi allan drwy'r tân, dydd a nos, i'w trwsio pan fyddai pelennau Jerry yn eu malurio.

Byddai Neville yn gwneud te ar stof breimys yn y *dugout* meddygol. Byddwn innau bob cyfle gawn yn troi heibio ar ganol dydd am gypanaid a sgwrs. Hen hogiau iawn oeddynt i gyd. Do, bu yn eithaf tawel am yr ychydig ddyddiau cyntaf. Ond buan y newidiodd pethau, Jerry yn tân-belennu, y gwynt yn chwythu o'i gyfeiriad gydag alarwm nwy mynych. Yr oedd gwŷr Canada wedi cael profiad chwerw o'r nwy cyn inni ddyfod yma ac wedi dioddef colledion mawr. Ond yn ffodus, ffug alarwm fu pob un inni.

At hyn, meddyliodd rhyw uchel swyddog gloyw am inni wneud *bombing raids* ar ffosydd y gelyn gyda'r amcan, meddai, i gael carcharorion a chael gwybodaeth felly pwy fyddai yn ein hwynebu, ac hwyrach, rhag i'n bywyd fyned yn rhy undonog. Beth bynnag, gwnaeth y 13 dair ymgyrch, a chael carcharorion bob tro.

Bu Arthur, fy mrawd, ar ddwy a daeth yn ei ôl yn iawn. Yr oedd ar un arall ar y 12fed o Hydref 1916 ond cafodd ei glwyfo yn ddifrifol. Bu farw y dydd dilynol, a chladdwyd ef ar y 14eg – dydd ei flwydd yn saith ar hugian, yn Mendingham ger Proven.

Llwyddais i gael caniatâd i fyned yno ymhen ychydig ddyddiau. Cefais fenthyg beic un o'n rhedegwyr ac euthum i weled man ei fedd, a Chaplan uned y Groes Goch yno. Dywedodd hwnnw fod Arthur wedi ei glwyfo yn ei gylla a'i ben; nid oedd obaith iddo fyw, a chesglais fod bom wedi ffrwydro yn ei ymyl. Gwelais ei fedd hefyd yn y gladdfa, yn bedwerydd mewn wyth o feddau mewn claddfa newydd. Cefais gyfle, ymhen rhai misoedd, ac wedi ymgyrch Pilken a Paschendale, i ail-ymweled â'r gladdfa, a chefais fraw. Yr oedd yr wyth bedd bellach mewn môr o feddau, tystiolaeth o ffwlbri ein Cadfridog ac o wastraff rhyfel.

Dywedai yr awdurdodau fod y 16 i wneud ymgyrch rhag blaen; cefais innau ac un o'r enw Barker o'r arwyddwyr ein dethol i fyned gyda hwy. Buom wrthi am ddyddiau tu ôl i'r lein yn ymbaratoi a bu'r rhuthrgyrch nos Sul, Hydref 29ain.

Nid oeddwn yn hapus o feddwl am fyned; cofiwn am dynged Arthur bythefnos yn gynt, a meddyliwn lawer am deimladau fy rhieni a'm perthynasau gartref. Eithr myned fu hi, wedi tynnu popeth ddangosai i ba uned y perthynem, ac wedi diosg ein disgiau adnabod a phopeth o'n llogellau, a phardduo ein dwylaw a'n hwynebau rhag i Jerry ein gweled yn rhy fuan, ac hwyrach i roddi braw iddo pan welai ni.

Croes i ddangos y man y claddwyd Arthur yn Ffrainc

23/10/16

A Q Coy
16th RW
B?

Anwyl Rieni ac oll.

Gair neu ddau gan
obeithio eich bod yn ogystal ag y mae angylch-
au yn caniatau. Salais ymweliad a'r
man y dodwyd gweddillion Arthur druan
i orphwys, prawn ddoe. Daeth y Capt.
Summerfield hefo mi, yn garedig iawn, a
cefais hefyd ychydig o wybodaeth am
natur ei glwyfau. Gorphwysa Arth
mewn cemetry newydd ychydig bella
o Proven, mewn lle a elwir y Mend
hem cemetry, efe ydoedd y pedwerydd
i gael ei roi i orphwys ynddi, dywed
y Caplan mae pythefnos sydd er pan
agorwyd y cemetry, ac mae un ar ddeg
wedi eu dodi yno yn barod.
Wrth gwrs mae pob corph yn gorwe
ar wahan yno, ond mae yr oweddle y
cael eu gwnend; fyny o Plots, pedi
yn mhob plot; mae Arthur druan.
Plot A 4. Nid oes ond crois fel

Cychwynasom o'n llety ac i'r ffosydd; ein Cyrnol newydd ar ben y dugout yng ngorsaf y Fataliwn yn ein hannerch ac yn dweud fel yr oedd y Swyddogion a phawb arall yn disgwyl inni gofio i beth a phwy yr oeddym yn perthyn; peiriant-wn Jerry yn dechrau tanio ac yntau fel dyn call yn gwyro, ond yn parhau i'n hannerch.

Symudasom ymlaen i'r llinell flaen i aros yr amser cymeradwy, a pharatoi i fyned dros y top. Ein gwaith ni'll dau oedd cadw cysylltiad â gwŷr y ffôn yn y lein; yr oedd gennyf ffôn D3 mewn cas lledr ar fy mrest, drŷm fach o wifren fain yn un llaw, a'r gwn a'i fidog yn y llall. Rhois y gwn i Barker, gŵr o Sais, i'w gario, ac yr oeddwn yn rhedeg y wifren allan wrth fynd ymlaen, ei phen arall yn gysylltiedig â'r ffôn yn y ffos.

Dyma fyned ymlaen i gyfeiriad ffos Jerry; siarad unwaith â'r bechgyn yn y ffos – yn Gymraeg, wrth orchymyn – a chyn inni fyned yn agos i'w lein, dyna'r bomwyr yn dechrau pasio yn eu holau. Brysiais innau i ddorri'r wifren i ddatgysylltu y ffôn, honno yn disgyn o'r cas i dwll siel, hwnnw yn llawn o ddwfr. Ymbalfalais amdani, a'i chael mewn cyfnod a ddangosai yn faith iawn, yna ei gwadnu hi yn fy nyblau am ein lein.

Sylweddolais fy mod yr olaf yn *No man's land*. Yr oedd Barker a'r ddau wn wedi diflannu ers meityn; minnau yn dychmygu fy mod yn gweled rhai o'r gelyn yn fy nilyn, ond canfod toc mai bonion coed oeddynt a phlannu i'r ffos pan oedd magnelau Jerry yn dechrau tanio arni. Bu'r ymgyrch, yn ôl yr awdurdodau, yn llwyddiant perffaith gan i ni gael tri charcharor a chwdyn o lythyrau. Llwyddiant neu beidio, yr oeddwn yn falch iawn fod yr hogiau i gyd wedi dychwelyd – ac yn fwy diolchgar byth fy mod yn ddiglwyf.

Bûm heibio'r bechgyn yn offis yr arwyddwyr; gwelais

fy llun mewn drych yno. Yr oedd golwg cythreulig arnaf yn fy wyneb du, ac at hynny, yr oedd pawb ohonom yn faw o'r corun i'r sawdl. Cawsom ddracht o rỳm i godi'n gwres, ac i lawr â ni yn ein holau.

Cawsom wledd gan y Cyrnol nos Iau, y 23ain o Dachwedd a chyngerdd ar ei ôl. Paciwyd drannoeth i fyned i'r ffosydd, ond cefais orchymyn gwell o lawer. Yr oeddwn i syrthio i mewn am hanner awr wedi hanner dydd i fyned am bedwar diwrnod ar ddeg o *leave*, ac wrth gwrs, felly y bu.

Cychwynnodd chwech ohonom am y *Transport lines* a chysgu noson yno, gadael Poperinghe dydd Sadwrn am ddau o'r gloch, Boulogne am naw a chael ein rhoddi, dau gant ar bymtheg ohonom bellach, mewn biletau yno a mynd i'n gwelyau tua hanner nos. Codasom am bump y bore i gael bath a glanhau ein hunain, morio am ddeg, glanio yn Blighty ychydig wedi canol dydd, trên am un, yn Llundain dri, trên eto am chwarter wedi pedwar, cyrraedd Caer tua deg y nos, a gorfod aros hyd dri y bore am drên i fyned ymlaen.

Yr oeddwn gartref toc wedi saith, neb yn fy nisgwyl ond pawb yn falch iawn o'm gweled, a minnau gyn falched o'u gweld hwythau. Ateb cwestiynau oedd fy ngwaith cyntaf; fy nhad a mam, yn enwedig mam, yn holi'r hanes am Arthur; minnau yn gorfod ateb yn gynnil.

Ateb cwestiynau fyddai hi allan hefyd, a'r cwestiwn gan amlaf a'r casaf gennyf ei ateb oedd 'Pryd wyt ti'n mynd yn ôl?' Yr oedd yn gas gennyf feddwl am hynny. Er hyn, bûm o gwmpas tipyn, unwaith mor bell â Lerpwl, eithr 'special occasion' oedd honno.

Beth bynnag, dyfod megis ar garlam wnaeth adeg troi'n ôl, ac erbyn imi uno â'r fataliwn ger Ypres, yr oeddwn wedi cael tair wythnos o'r drin, tair wythnos chwim.

Y Ddraig Goch

Yr oedd pob Adran neu ddifisiwn erbyn hyn gyda rhyw nod arbennig i'w dynodi a nod yr Adran Gymreig oedd y Ddraig Goch. Yr oedd i'w gweled ar bob magnel a gwagen, a phob milwr ynddi wedi cael darn o frethyn i'w wisgo ar ei fraich dde. Yr oedd y rhain mewn lliwiau a ffurf wahanol, a'r ffurf yn dair conglog i'r 113 Frigâd, lliw gwyrdd gan y 16 a coch gan y 13.

Yr oeddym hefyd wedi cael ffôn newydd, y Fullerphone; dyfais i geisio rhwystro Jerry godi ein negesau. Roedd iddi ddau sain, un swn parhaus, a sain wahanol yn y swn parhaus pan yrrid y Morse. Ni wn a ydoedd yn effeithiol ai peidio yn ei phwrpas. Gwyddem fod gan ein pobl ni beiriannau i godi negesau, oblegid bu gryn holi arnom unwaith am ein bod yn

Tom Price yn gwisgo y Ddraig Goch, nod yr Adran Gymreig, ar ei ysgwydd

gofyn drwy'r ffôn 'Any letters?' a thybiai rhywrai ein bod yn cario sgyrsiau personol ymlaen arni. Arferiad ein Cwmnïau, wedi cymeryd y llinell drosodd neu wedi ei throsglwyddo i eraill, fyddai anfon neges 'Relief complete', eithr tybid y gallai ddod i glustiau Jerry, a newidiwyd hi i 'Any letters', oblegid gwŷr y ffôn fyddai yn mynd i mewn i'r ffosydd gyntaf. Hwy hefyd oedd yn eu gadael olaf. Edrych dipyn yn swil a wnaeth y gwrandawydd pan eglurwyd iddo, ac aeth i'w wlad ei hun yn ddigon swta.

Newidiwyd y neges yn ddiweddarach i X.Y.Z. ac yna i F.U.J.I.A. a honno a ddefnyddid i'r diwedd. Golygai'r llythyren gyntaf un o hoff regfeydd y fyddin – a'r Lady dybiedig honno, a golygai y gweddill 'You Jerry I'm Alright.' Byddem hefyd yn cael ambell neges mewn *code*, neu ddirgel arwyddion. Yr oedd gennym allwedd i ddehongli rhain, a byddai angen gwneud hyn cyn eu cyflwyno i'r Offis.

Bu helynt arall ynghylch negesau yn Ypres. Yr oedd yr Offis wedi anfon neges allan i Swyddog gyda rhedegwr, ef yn tystio iddo ei throsglwyddo a'r Swyddog heb weithredu arni ac yn dweud na fu iddo ei derbyn. Rhaid oedd myned ati i ffurfio cynllun i osgoi hyn yn y dyfodol; cedwid llyfryn i nodi amser danfon negesau allan, testun y neges, enw'r rhedegwr (neu foddion arall megis ffôn). Rhoddid y neges mewn amlen wedi ei chyfeirio, a byddai gofyn i'r sawl a'i derbynio arwyddo'r amlen â'i enw a'i hanfon yn ôl gyda'r rhedegydd. Gwneid yr un peth gyda negesau ddoi i mewn.

Bûm yn gwneud y gwaith am sbel, yna trosglwyddwyd y gorchwyl i Humphreys a D. H. Lewis, y ddau glerc banc yn Arley House. Da gennyf allu dweud i'r ddau barhau yn y gwaith hyd y diwedd, ac ni bu helynt wedi defnyddio y cynllun hwn ynghylch y negesau.

Yr oedd hen griw Arley House wedi ei chwalu yn arw erbyn hyn; Steve Morris ac Edwin Jones, Pontfadog yn y cludwyr, J. T. Jones, Stockport, yn saer coed yn y *Transport lines*, Hughes Amlwch – dyn y crancod – yno hefyd fel teiliwr, Phillips Dyffryn Ceiriog a Phillips o Groesoswallt a Betws wedi syrthio. Nid oedd Charlie Morgan y gôl-geidwad na D. Jones Llanrwst wedi dod allan gyda ni ac Oliver Davies ac R. E. Roberts o'r un fan wedi eu clwyfo a Morrison a Bentley wedi ein gadael. Soniwyd eisoes am Humphreys a D. H. Lewis, y 'Padre', chwedl ninnau, am ei fod yn fyr a llond ei groen, Welldon y pêl-droediwr gyda'r celsaethwyr a Humphrey a minnau yn yr arwyddwyr.

Byddaf yn meddwl yn aml am Arthur Phillips, Croesoswallt, ac yn tristáu. Trist fu ei hanes. Cofir iddo fod yn un o'r cwmni deithiodd yn y fintai o Wrecsam i Landudno. Yn ddiweddarach, ymunodd â'i ddau frawd; nid ydoedd le iddynt yng nghwmni A, a rhoddwyd hwy yn D.

Nid oedd Arthur yn fodlon bellach heb gael ei symud atynt i D, ac felly y bu. Yr oedd y tri yn myned dros y top am goed Mametz gyda'i gilydd; syrthiodd John yn farw, clwyfwyd Arthur, daliodd i fyned ymlaen nes methu, a syrthiodd gan ddweud, 'I can't go any further', a bu yntau farw. Daeth David drwodd yn iach i bob golwg, ond ymhen ychydig wedi inni ddod i Ypres, aw'd ag yntau allan o'r lein wedi drysu'n llwyr. Y mae darlun o'r tri brawd gennyf ar y mur yma; byddaf yn meddwl llawer am beth ydyw hynt David. Ai tybed y byddai yn well pe bai yntau hefyd wedi syrthio gyda'i frodyr?

Gwelais eu rhieni a'u chwaer yn Llandudno, teulu annwyl, yn annwyl o'u gilydd, a pharchus ohonynt eu hunain ac o bawb arall.

Yr oedd cryn bwysigrwydd yn cael ei roddi yn Ypres ar arwyddo gyda'r lamp. Byddai'r gwifrau teliffon yn cael eu malurio'n aml, a chan fod perygl i'r pontydd gael eu malu hefyd, tybid yn ddoeth darparu ar gyfer y gwaethaf. Bu Glynne Davies a finnau wrthi yn ddiwyd ar ochr y gamlas yn gwneud math ar gysgod i ddarllen lampau y Cwmnïau; yna cysylltwyd ffôn oddi yno i'r brif swyddfa. Wedi myned i'r cysgod ar adegau od byddem yn galw ar y naill neu'r llall o'r cwmnïau yn Gymraeg, 'Goleu', a buan y daeth pob Sais yn eu gorsafau yn ddigon o Gymry i ddweud a deall y gair ac ateb drwy anfon ychydig Morse ar eu lampau. Rhaid fyddai bod y lampau hyn wedi eu cyfeirio'n briodol fel na fyddent yn weledig ond i'r cyfeiriad hwnnw ac nid i Jerry yn siŵr. Byddem ninnau, wrth gwrs, yn ateb ar y ffôn.

Bu dyfalu'n hir ynghylch pa enw i'w roi ar y palas. Awgrymodd un o'r arwyddwyr ei alw ar ein holau – yr oeddwn am ryw reswm wedi cael yr enw 'Knocker' gan Charlie Morgan yn Arley House. Glynodd yr enw ymhlith fy ffrindiau a chan fod 'glen' yn gyfieithiad gweddol o 'Glynne', galw y lle yn 'Knocker's

Tom Price yn ei wisg milwrol gyda nod yr arwyddwyr ar ei fraich chwith

Glen' wnaed, a rhoddwyd yr enw ar ddarn o bren tu allan iddo. Rhaid bod yr enw hwn wedi glynu hefyd, oherwydd gwelsom ef ar fap diweddarach o'r rhanbarth, map wedi ei lunio gan yr Adran topographical gogyfer ag ymgyrch Pilkem.

Pilkem Ridge

Llyfrau diddorol a gyhoeddwyd am hynt a helynt yr Adran Gymreig gan gwmni y Western Mail oedd y 'New Year Souvenir of the Welsh Division'. Cyhoeddwyd tri: 1917, 1918, a 1919. Y mae'r tri gennyf, yn drysorau erbyn hyn. Ceir ynddynt sôn am lawer tro trwstan a difrif yn y drin. Gresyn na fyddai modd eu hailargraffu. Y mae llawer peth salach yn dod o'r wasg heddiw. Dyfynnaf a ganlyn o gyfrol 1917 a'i theitl yw 'Linguists':

> I came across them on the Somme – the horses were fractious, men hot, ill-tempered and fagged out. 'Aros yn llonydd, yr hen gythraul,' yelled one sturdy Welshman, as a huge Flemish horse showed a disposition to break the high jump record.
>
> 'No good talking to him like that,' I exclaimed, 'speak English.' And the man looked at me in amazement.
>
> 'English! English be damned! They're French.'
>
> 'Well, French then.'
>
> 'Chreda i fawr. Welsh they're going to be and Welsh they've got to learn. See that lot over there? Every one of 'em knows Welsh and likes it. Just teach 'em Welsh and they'll feed out of your hand.' And then, turning to the horse he continued, 'Aros fy nghariad i.'

A thra bwy'n sôn am iaith, diddorol iawn hefyd oedd y gwahaniaeth rhwng tafodiaith De Cymru a'r Gogledd. Cofiaf i mi gael fy ngyrru gyda gŵr o'r enw Lake, bachan o'r De – rêl Sowthyn hefyd – i gyrchu offeryn trwm i'r bilet, ac wedi cyrraedd, yn gwyro i'w godi. Minnau, yn ôl arfer y chwarel yn dweud 'Rŵan', yna wrth weled nad oedd yn ei godi yn dweud yn uwch, 'Rŵan'. Ond sythu'n wyllt wnaeth Lake ac meddai 'Ry wan, ry wan, cwnna lan, bachan uffern,' yna'n gwyro. 'Nawr,' meddai ac er fy mod yn siglo chwerthin, 'Cwnna lan' fu hi. Cawsom hwyl fawr ill dau wedi inni ddyfod i ddeall ein gilydd.

Dal at y drefn o bedwar i mewn a phedwar allan yr oeddym, gan ddyfod allan yn awr i bentref bychan o'r enw Elverdinghe, lle difai dan yr amgylchiadau. Yr oedd yr hogiau yn dal i wneud *fatigue*. Bron na feddyliem fod yn rhaid fod yr Adran Gymreig yn weithwyr da. O leiaf, yr oedd digon o waith ar ein cyfer gan nad lle yr anfonid ni. Yr oedd stôr y cydau tywod yn ddihysbydd a phridd Ffrainc a Fflandrys yn ddiddarfod.

Bu peth newid ar ymarferiadau yr arwyddwyr. Byddem yn awr yn ymarfer ag anfon negesau i awyrenwyr, eithr offer anhwylus oedd gennym, llen chwe troedfedd wrth lathen wedi ei sicrhau ar y ddaear, wyneb coch iddo yn gaeedig, ac yn wyn pan ar agor. Byddai y gyrrwr yn eistedd ar y ddaear, neu yn gorwedd, yn tynnu cortyn i ddangos nodau'r Morse yn y gwyn, ac yn ei ollwng i'w gau; a'r awyrennwr uwchben yn ateb ar ei *Klaxon Horn* pan fyddai wedi deall. Byddai raid iddo droi a throsi lawer gwaith cyn gorffen deall.

Caem hefyd ymarfer â radio y dyddiau hynny. Byddaf yn gwenu wrth gofio am ein hoffer, math ar fat copr, dwy lath wrth lathen, ar lawr i ddaearu, dau bolyn haearn yn codi i'r awyr, gwifrau yn eu cysylltu â'i gilydd ac â'r ffôn neu set, a *headphones* yn rhwym am ein pennau, a chraffem i dderbyn sibrydion o sŵn. Bu gryn ddatblygiad i'r *walkie-talkies* oedd gennym yn y Gwarchodlu Cartref adeg y rhyfel diwethaf.

Aeth y Nadolig a dydd Gŵyl Dewi Sant heibio – Gŵyl Dewi gyda'r negesau arbennig a mynych cydrhwng Swyddog a Swyddog a Chwmni a Chwmni – 'And St David's'. Gwyddem beth i'w ddisgwyl wedi cael y gair cyntaf. Ni wyddem eu pwrpas ychwaith, yn enwedig yn y lein, onid oeddynt lwncdestun sych.

Sylweddolasom toc fod rhywbeth arbennig yn myned ymlaen yng nghyfeiriad y lein. Yr oedd y bechgyn wrthi'n barhaus yn gwneud yr hyn a elwir yn *Assembly trenches*. Sylweddolasom hefyd fod dau fath ar ofn, ofn oedd yn gwneud i ddyn fyned i banic a'i wneud yn aml i redeg i berygl; ac ofn oedd yn gwneud dyn yn ofalus heb fod yn llwfr. Yn wir, y gwir ddewr fyddai hwnnw oedd yn trechu ei ofnau mwyaf i wynebu y perygl garwaf.

Efallai bod math arall ar ofn hefyd, yr ofn hwnnw yr oedd dyn yn ei drechu, drwy yr hyn a edrychai fel gorchest, tebyg i'r Swyddog hwnnw, un o'r newydd-ddyfodiaid, roddwyd i ofalu am barti aeth i fyny un noson i dorri'r ffosydd newydd hyn.

Yr oedd yn noswaith wlyb ac annifyr, y tir yn llaid, yr hogiau'n wlyb, peiriant-ynnau Jerry yn tanio arnynt nawr ac yn y man, a'r hogiau yn llechu oreu allent pan fyddent wrthi. Dwrdiodd y Swyddog gan ddweud, 'You've got the wind up. Look at me. I haven't got the wind up,' tra'n cerdded yn ôl a blaen ar ben y ffos; gwn Jerry yn tanio, yntau yn stopio bwled â'i ben, marw heb ei eisiau.

Debyg iawn bod gennym ofn; cawsom y 'wind up'

lawer gwaith. Nid oedd neb nad oedd yn teimlo ofn, ofni cael ei andwyo yn fwy nag ofni'r eithaf, gan fod gweled clwyfau felly yn gynefin – rhy gynefin inni. Beth bynnag, yr oedd amser yn cerdded ymlaen i Fehefin, y tywydd wedi gwaethygu, yn glawio bob dydd – a'r tir yn myned yn fwy lleidiog. Yr oedd prysurdeb tu ôl i'r lein, ninnau yn casglu fod ymgyrch arall o'n blaenau. Detholwyd rhai arbenigwyr ac is-swyddogion a rhai o'r fataliwn i fyned allan o'r lein i wneud *battle-surplus* – rhyw gnewyllyn fyddai ar gael wedi'r frwydr i ail-ffurfio'r fataliwn – a cael fy hunan yn eu plith.

Aeth yr hogiau drosodd ar yr ail ar bymtheg o Orffennaf, mewn amgylchiadau hollol ddiystyr; myned i fyny llechwedd Pilkem, hwnnw wedi ei dyllu ymhobman gan y tân-belenni ac yn llawn o ddwfr, at hanner eu coesau mewn mwd a Jerry yn eu medi i lawr; rhai yn farw a llawer clwyfedig yn boddi yn y dwfr cyn cael ymwared, er hynny rhai yn llwyddo i symud y gelyn.

Golwg ddigalon iawn oedd ar y fataliwn pan ddaeth allan ymhen deuddydd, a mwy digalon y *roll-call*.

Yr oedd Lippiart, un o staff y brif orsaf, wedi bod gartref yn Nhrimsaran ychydig wythnosau yn gynt, a daeth yn ei ôl yn fachgen gwahanol. Nid oedd yr un bywyd ynddo. Cymerai ei ddogn rỳm fel ninnau hyd hynny, ond ni phrofodd ddiferyn wedi dychwelyd, a sylwasom ei fod yn darllen gryn lawer ar ei Destament. Byddai hwnnw beunydd o'i flaen pan wnâi ei sbel ar y ffôn.

Aeth drosodd gyda'r hogiau y bore hwnnw ac ni ddaeth yn ei ôl. Fe'i lladdwyd ger Au bon Gite, hen orsaf i Jerry a feddiannwyd gan arwyddwyr i wneud gorsaf. Ai tybed ei fod wedi rhagdybio hyn? Byddem yn dyfalu lawer beth a ddigwyddodd iddo pan ar *leave*, gan fod y cyfnewidiad mor amlwg, er ei fod yn fachgen digon gwastad ei fuchedd cynt.

Pennod 12

Armentierres

Cymerwyd yr Adran allan o'r lein ac o gyrraedd y magnelau i gael adgyfnerthiad wedi colledion y frwydr ac i'n gwneud yn atebol i droi i'r drin eto. Ac ymhen ychydig wythnosau wele ni a'n hwynebau tuag at y ffosydd ac yn cymeryd drosodd yn Armentierres, cartref y Madamoiselle honno y canwyd gymaint yn ei chylch.

Ni welsom y ferch ifanc, na'r un ferch arall ychwaith, er inni ganu llawer amdani, a llawer newid fu ar y geiriau; 'It's a long way to Tipperary' yn amlach yn 'It's a long way to tickle Mary', ac ymlaen. Hwyrach mai un o'r cyfarfodydd canu rhyfeddaf fu erioed oedd hwnnw pan aeth nifer ohonom am dro i *railhead* ar y Somme, a chlywed nifer o garcharorion anweledig mewn gwagen gaeedig yn canu y 'Soldier's Farewell', ninnau oddi allan yn uno yn y gân, hwy yn canu yn Almaeneg, a ninnau yn Saesneg.

Na, tref wag o drigolion oedd Armentierres; tref helaeth, yn dwyn arwyddion iddi gael ei gadael ar frys. Yr oedd peth dodrefn trwm yn y tai, a phob seler yn glöedig. Deuthum ar draws y milwr blismon, un a adwaenwn gynt fel P.C. Morgan, hwnnw yn gyfrifol am edrych ar ôl y seleri, a gwinoedd lawer yn y rhai hynny, a phethau da eraill.

Nifer o'r arwyddwyr aeth i'r lein gyntaf drannoeth; ac wedi cymeryd drosodd a gosod ein peiriannau, aeth Humphrey Jones a minnau am sgiawt tu ôl i'r lein gymorth, ac er ein llawenydd daethom o hyd i berllan ffrwythau, ffrwythlon hefyd, yn afalau a gellyg melys. Aw'd ati ar unwaith i hel llond cod dywod o'r gellyg a myned a hwy i'r *dugout*. Yr oedd llonaid un arall yn disgwyl y 13 pan ddaethant i'n rhyddhau a gofalent hwythau am un yn barod i ninnau, tra cedwid yr afalau *in reserve*.

Ni chafwyd fawr o'r rheini, beth bynnag. Ffeindiodd Jerry ni yno un tro; daeth tan-belenni drosodd, a rhow'd y berllan *out of bounds*.

I Armentierres y byddem yn troi am seibiant. Un tro yr oeddym yno, daeth y Gwir Anrhydeddus D. Lloyd George a Towyn Jones A.S. ar ymweliad. Ni welais y prifweinidog ond gwelais yr A.S. Roedd yr hynodrwydd ei fod mewn 'Sifis' yn tynnu ein sylw ac yr oedd cryn amser er pan welsom sifilian trwsiadus.

Arferai Jerry ddanfon pelenni nwy, 'gas-shells', i'r dref. Gwnaeth hynny un tro y buom yno am seibiant. Rhaid fy mod wedi cael rhyw gymaint ohonno, oblegid erbyn bore drannoeth yr oedd gennyf dair chwysigen o faint ceiniog ar gefn fy llaw, y rhain yn chwyddedig, a lliw melyn arnynt. Euthum i'w dangos i'r Meddyg, ac anfonwyd fi at Adran y Groes Goch i gael eu trin. Byddwn yn cael eu trin a'u trwsio yn ddyddiol tra buom allan; buont ddigon poenus hefyd ond daeth y llaw ati ei hun yn iawn.

Bûm hefyd yn gwneud ymgyrch fomio yma, eithr yn y ffos gyda Swyddog y tro hwn. Siarad Cymraeg oedd y drefn y tro hwn eto. Y mae'n amlwg fod ein swyddogion yn meddwl nad oedd Jerry yn deall yr iaith; beth bynnag, ni chafwyd colledion, eithr cafwyd carcharorion. Ymgyrch berffaith, mae'n siŵr.

Pennod 13

Helfa ryfedd o bysgod

Un tro cefais gyfle i bysgota, wel, pysgota gâi ei alw yn anghyfreithlon dan amodau cyffredin. Eithr yr oedd pob mân gyfraith wedi ei rhoi at y silff a hyd yn oed y gorchmynion mawr wedi eu haralleirio; 'na ladd' wedi mynd yn 'lladd, neu fe'th leddir' a'r llythyren 'N' wedi ei thynnu o 'Na chwennych.'

Beth bynnag aethom allan un tro i bentref tipyn ymhellach o'r lein nag arfer, ac wedi setlo i lawr aeth Humphrey Jones a gŵr o'r enw Billy Weekes a minnau am dro ac, wrth grwydro, daethom i lan afon. Gwelem bod digon o bysgod ynddi, gormod o ran hynny; rhaid oedd cael rhai ohonynt at swper. Y cwestiwn oedd, pa sut?

Aethom yn ein holau i sgrownjio tua'r ystordy. Cawsom o hyd i hanner dwsin o fomiau Mills a chwdyn tywod, ac i lawr â ni yn ein holau. Yr oedd dau o'n Swyddogion wedi cael genweiriau o rywle, ac wrthi'n pysgota, ond yn dal dim, er bod digonedd o bysgod i'w gweled yn y dwfr. Pasiwyd hwy ac aethom ymlaen i fyny hyd nes tybiem ein bod ddigon pell. Trodd allan fod Weekes yn nofiwr da; stripiodd i'w groen ac aeth i'r dwfr; aeth Humphrey i daflu bomiau i'r afon yn uwch i fyny, a Weekes yn nofio ac yn taflu'r pysgod i'r lan, a minnau yn eu cawellu yn y *sand-bag*.

Yr oeddym yn cael hwyl anarferol, a'r pysgod megis yn neidio i'r lan. Ond yn sydyn gwelwyd Neekes yn prysuro

76

Tom Price, yr ail o'r chwith yn y cefn, gyda'i gyfeillion yn 1917

o'r afon, ac yn rhuthro am ei ddillad; ninnau yn methu deall paham. Dyma edrych i gyfeiriad y Swyddogion, hwy yn ddigon pell ac yn dal i chwipio'r dŵr; troi y ffordd arall a gweled gwraig yn rhodio atom gyda'r lan – a deall.

Bu terfyn ar y pysgota ond yr oeddym wedi cael helfa dda o bysgod braf, llawer gwell nag y byddwn yn ei gael wrth ymboeni gyda genwair ers talwm. Gofalwyd am fyned â chyflenwad i *Mess* y Swyddogion, a rhaid bod y pysgod yn flasus – yr oeddynt o ran hynny – oblegid ni chafwyd dim cwynion.

Un da oedd Weekes hefyd; creadur digon garw ei olwg a'i iaith, dros ddwylath o ddyn, ac yn hen focsiwr medrus. Byddai ef a Tony Davies yn difyrru llawer arnom yn ein hamdden, Weekes yn dal a Tony yn fyr; y ddau yn gyfeillion pennaf, ond yn dyrnu am y gorau – neu'r gwaethaf – yn y ring.

Dangosodd yr hynt bysgota un peth pwysig iawn inni; er mor arw yr oedd Weekes yn y ring ac allan ohoni, bod parch i fenyw a pharch ohono'i hunan yn aros.

Bûm adref am bedwar diwrnod ar ddeg oddi wrth yr hogiau o Armentierres hefyd. Cefais yr un croeso a'r un cwestiynau, y pentref yn wacach. Treuliais beth amser yn ardal y Bala; yr amser yn chwyrlïo mynd; troi yn ôl a gorfod, o'm bodd, aros noswaith yn un o dai drylliog Dover, am bod llong danforawl i Jerry yn y sianel; cyrraedd y fataliwn, a syrthio i'r un rhigolau.

Sylwais un peth, fodd bynnag, tra y bûm gartref. Yr oeddwn wedi cadw math ar ddyddlyfr garw, nodiadau byrion o'n symudiadau ac yn y blaen, ac wedi ei adael gartref adeg y lif cyntaf a Nhad wedi ymdrafferthu i nodi ein holl grwydriadau ar fap papur newydd, arwydd eglur o ddiddordeb ofnus y bobl gartref yn ein hynt a'n helynt yn y drin.

Eithr cerdded ymlaen wnâi amser. A chyda hwnnw, daeth milwyr Portiwgal i Ffrainc a Fflandrys; gwŷr byrion tywyll eu croen, yn or-hoff o'r gyllell ac yn fyr iawn eu hamynedd, ac yr oedd rhai ohonynt wedi codi helynt o dro i dro, gan amlaf o achos benyw.

Daeth rhai ohonynt gyda ni i'r lein am hyfforddiant, ac yr oedd gwaith dysgu arnynt. Nid oedd modd eu perswadio i fod yn ofalus pan fyddai Jerry yn taflu pelenni nwy drosodd; yn hytrach mynnent godi y gwrthbannau arbennig oddi ar ddrws y dugouts, rhoi eu pennau allan i'w arogli a dweud mai 'Good' ydoedd.

Pennod 14

Bwyd da

Yr oedd arwyddwyr yn perthyn i uned y Portiwgeaid, a daeth pedwar ohonynt yng ngofal eu his-swyddog atom. Anfonwyd hwy i'r lein i gymeryd gofal gorsaf, ac aeth un o'n harwyddwyr gyda hwy i'w rhoi ar ben ffordd. Bu gyda hwy hyd ganol dydd drannoeth, yna tybiodd eu bod yn atebol a gadawodd hwy.

Byddem yn arfer cael dwy golomen, mewn basged, pan yn y lein. Yr oedd llofft bwrpasol rai milltiroedd tu ôl inni; byddem ninnau yn rhoddi neges ar bapur reis ysgafn, ei sicrhau mewn daliwr alwminiwm bychan, clipio hwnnw am eu coes a'u gollwng; hwythau yn hedfan i'r awyr, ac wedi rhoddi tro o gwmpas yn cael eu cyfeiriad ac yn myned fel bwledi am eu llofft.

Caem ninnau gopi o'r neges yn ôl ohoni. Byddem wedi rhoi cychwyn y neges ac, yn ôl yr arfer, wedi cadw copi ohoni, hwythau yn nodi'r amser y derbyniwyd hi a synnem lawer oherwydd chwimder y colomennod o'r lein i'r llofft.

Daeth dwy golomen tra bu'r Portiwgeaid gyda ni; danfonwyd hwy i'r lein iddynt, a chyfarwyddwyd hwy oreu gallem pa beth a pha fodd i wneud â hwy. Bu hir ddisgwyl am gopi o'u neges o'r llofft, eithr ni ddaeth. Ymhen deuddydd, fodd bynnag, daeth y fasged yn ei hôl yn wag – ar wahân i neges oedd ynddi – 'Pigeons good, send two more' – a digon yw dweud na chawsant hwy.

Treuliwyd Nadolig arall yn y drin, a chafwyd cinio da,

yn dyrci a phwdin plwm, rhoddion o'r hen wlad. Cefais ben-blwydd arall yn y ffosydd. Yr oedd y symud i mewn ac allan yn myned ymlaen yn ôl y drefn. Caem bryd o wyau a *chips* bob tro y byddai cyfle, y cyfle yn dod fwy aml bellach, gan fod cyflog y milwyr wedi codi peth, a ninnau wedi dod o hyd i le reit handi tu allan i'r dref i'w prynu. Yr oedd y stori yn yr awyr wedi newid er gwell. Roedd ein hawyrenwyr yn fwy amlwg a Jerry yn cael curfa fynych uwchben, ac yn osgoi brwydr pan fedrai.

Cefais gwrs chwech wythnos mewn arwyddo draw o'r lein. Yr oedd Neep, Emery, Ianto, Prosser a Bob Rowlands eisoes wedi bod yn eu tro, ac wedi pasio allan yn A.I. (*Assistant instructors*) mewn arwydd-waith. Golygai gwrs caled, ond yr oedd yn chwech wythnos o orffwys i'r nerfau. Bûm lwyddiannus yn y profion ar y diwedd, a cefais fy A.I. Rhoddai hyn hawl inni symud y fflagiau, arwydd y Signallers, a'u rhoi yn is na'r penelin. Rhoddai hefyd yr hawl i gael streip, eithr yr oedd hawl i'w gwrthod hefyd, ac felly y bu. Nid oeddwn yn ei chwennych; gwelais ormod o'i heffeithiau ar rai; ambell swyddog yn troi yn ddihiryn, eraill yn gorfod achwyn ar eu ffrindiau mwyaf. Aeth rhai o'r rhain yn brif sarsiant yn eu cwmnïau a'r fataliwn – rhai yn fedrus, oddi ar y parêd, fel rhegwyr. Dywedid, fodd bynnag, fod y goreuon yn eu plith yn myned i'r cysgod pan ddechreuai un Cadfridog Corfflu fu arnom regi, ac y byddai pob is-swyddog o fewn clyw yn diosg ei gap, ac yn sefyll mewn mudandod syn.

Un o'r pethau ddenai ein sylw yn Ffrainc a Fflandrys pan aem o ardal y tân fyddai y defnydd wneid o'r tir. Byddai pob llathen sgwâr wedi ei thrin yn ofalus, ac yn edrych yn doreithiog; hefyd, absenoldeb terfynau gweledig, y terfynau yn cael eu cadw er hynny – a'r gwragedd wrthi'n llafurio ar y tir yn gyson.

Byddai llanerchi o datws a bwydlys – y rhain yn hwylus iawn rai troeon – ac o fetys. Gwelsom lwythi lawer o'r rhain mewn badau yn hwylio ar y camlesi. Byddai ambell lannerch o lin ac edrychent yn hynod hardd pan yn fôr o flodau glas, gyda phopi yn gwthio ei betalau coch i fwynhau pelydrau yr haul. Byddai yn gwneud pictiwr i'w gofio.

Ni welem fawr ar ddefaid; gwartheg fyddai ymhobman, ac fel rheol byddai gafr yn eu plith gyda phob buches, ac ambell hen fuwch ddigon slei a brwnt. Byddai ambell geffyl i'w weld yn trin y tir, ac nid peth anghyffredin fyddai gweled iau o ychen yn tynnu aradr bren, a'r rhai hynny yn symud yn araf ddigon fel pe na bai rhyfel nac amser yn cyfrif o gwbl.

Eithr er cystal y tir, gwlad ddigynnydd oedd Ffrainc yn gyffredinol, ei ffyrdd yn sâl, ei rheilffyrdd yn araf, carthffosiaeth yn adnabyddus iddynt a'u tai yn ddigon bregus.

Diau na fu'r rhyfel yn fantais i'r trigolion mewn llawer gyfeiriad; byddai Chineaid mewn unedau llafur yn gwneud ffyrdd newydd a rheilffyrdd mewn llawer lle, yng ngofal yr R.E.s wrth gwrs.

Byddai trigolion y Dwyrain Pell i gyd yr un fath â'i gilydd, mater o benbleth i'r rhai oedd yn gofalu amdanynt i wybod pwy oedd ar goll, pan ddigwyddai hynny.

Byddai enwau y milwyr ar leoedd a phethau nodedig yn darawiadol iawn hefyd; un siel yn cael ei galw yn *whiz-bang* am ei bod wedi ffrwydro bron gynted ag y byddai wedi ei chychwyn; un arall drymach wedi cael ei bedyddio yn Jack Johnson, am ei bod yn taro'n galed, ac, am fod cwmwl du yn codi o'r ffrwydriad, ac yn fwy cyffredin yn *Coal-box* oherwydd y cwmwl du.

Yr oeddynt wedi rhoi enwau addas iawn ar leoedd arbennig, megis 'Lancashire Farm', 'Canadian Orchard', Grouse Butts' – atgof am leoedd saethu ieir mynydd, yn ddiau. Hefyd yr oedd 'Princes Island', yn ardal ynysoedd gwahanedig Festubert a Richesbourg, ac wrth gwrs 'Blighty bridge', 'Dirty Bucket Corner'. 'Trafalgar', 'Piccadilly Circus', a 'Hell fire Corner' yng nghyffiniau Ypres – a sawl enw gwahanol roddwyd ar y fan honno. Teithiwyd o Roubecq wedi'r cwrs i ymuno â'r fataliwn mewn lorïau, hithau allan ar seibiant ers tro. Bu'r lein yn weddol dawel i'r hogiau, ond daliai'r awyr yn brysur iawn. Euthum am dro i St Hilaire ar brynhawn Sul, a gwelais gêm rygbi dda iawn cydrhwng y Cymry a thîm o'r Anzacs – gwŷr Awstralia a Seland Newydd – ddydd Mawrth. Yr oedd amryw o frodorion Seland yn nhîm yr Anzacs, ninnau yn dotio at eu medr a'u rhuthr, ac yn canmol y Cymry am ddal ati. Cawsom ninnau beth hamdden i chwarae pêl-droed.

Symudasom tua saith milltir i Busnes dydd Mercher, a cawsom law bob cam; gwisgo'n helmau nwy am un filltir ar y daith a chael llety mewn hen ysgubor, a llwyddo i gael ffîd dda o *chips* ac wyau yn y pentref.

Yr oeddym ar ein trafel eto drannoeth – trafel o dair milltir ar ddeg i Estaires – a cawsom ein lletya yn yr un fan ag y buom ynddo yn 1916. Dyma symud eto ddydd Gwener a myned yn ein holau am Armentierres. Talwyd ymweliad ag Erquinghem min nos, a chael y lle fel y byddai'n arfer bod; troi yno nos Sul, a gweled un o awyrennau Jerry yn cael ei hyrddio o'r awyr.

Pennod 15

Yn ôl i'r Lein

Aethom i'r lein brynhawn Mawrth, y 19eg o Chwefror. Buom yno hyd y Sadwrn, tawelwch gweddol – o weddol y drin – tra yno, ac eithrio nos Wener, pryd y bu Jerry yn bur flin. Yr oedd un o'n peiriant-ynnau wedi tynnu un o'i awyrenwyr i lawr – digwyddiad pur anghyffredin – ond yr oedd yntau yn rhyfygu wrth hedfan mor isel uwch ein pennau.

Daeth y 14 i'n rhyddhau, ninnau yn myned allan i Erquinham eto a bwyta rhagor o datws a wyau. Yr oedd Ianto a minnau wedi cael hyd i hen gwpl caredig yno; byddem yn falch o'r bwyd – a hwythau yn falch o'r pres.

Gwnaeth Jerry ymosodiad bomio ar y 14, nos Lun, a cymerodd ddau yn garcharorion. Bu prysurdeb mawr yn yr awyr ddydd Mawrth; cawsom ninnau dâl min nos ac aeth Ianto a minnau – a llawer eraill – i'r Pictiwrs, trêt anarferol iawn.

Symudasom ninnau yn nes i'r lein ddydd Mercher, a chymerwyd gorsaf G.S.30 drosodd. Roedd glaw mawr y nos. Clywyd hefyd bod Jerry yn ymosod yn Ghelabelt, ond trodd mai stori big ydoedd. Gwelais Elgan, un o 'fechgyn y pentref', a chael sgwrs fach. Yr oedd sŵn tanio trwm ar y chwith inni, a'r nos yn dangos ei oleuadau. Er hynny, yr oedd mynd ar y pictiwrs; cawsom ddwy noson ddifyr arall ynddynt. Chwaraeem bêl-droed yn y pnawniau – y tanio i'w glywed o hyd, ac yn drymach yn y nos.

Cafwyd tywydd braf o Chwefrol y 25ain hyd Mawrth yr 20fed, ninnau yn y ffosydd ar yr 16eg hyd yr 20fed; cyfnod cymysglyd ydoedd gan inni ddioddef tipyn am fod y gelyn yn gyrru sieliau nwy tuag atom; ninnau yn tanio morteri ffos yn yr hwyr. Newidiodd y tywydd – a'r nwy yn hir yn clirio o'r herwydd.

Tawelodd pethau gryn dipyn drannoeth. Cawsom ninnau ein rhyddhau noson yr 20fed; deffrodd Jerry at y nos Iau, a danfonwyd gryn lawer o sieliau nwy i gyfeiriad y bilet yn Armentierres. Gwelais gip ar Joe Ephram, fu yn byw yn y tŷ nesaf yn y pentref adref.

Diwrnod braf oedd y Gwener a'r arwydd yr un – ymarfer a gyrru negesau i awyren. Danfonodd Jerry siel drwy Mess y Swyddogion; lwc mai dud ydoedd, yn enwedig gan ein bod yn y tŷ nesaf iddo. Yr oedd tân-belenni o'n cwmpas eto y Sadwrn. Symudasom i fyny y nos gan gymeryd ein lletty mewn Asylum – rhyfedd na baem ynddi ers talwm. Nid oedd yn le cysurus iawn ychwaith. Yr oeddwn ar fy sbel ar y ffôn o naw bore Llun hyd un y prynhawn, ac eto o hanner nos hyd bedwar y bore Mawrth, ond o ran hynny, dyma oedd y drefn bellach, cysgu pan fedrem, a gofalu am gadw'n effro pan ar y ffôn.

Cawsom ein gollwng o'r Asylum gan y 14th Welsh Regiment, ac aethom i Erquingham. Arhosiad byr gawsom yno, oblegid yr oeddym yn y drin eto'r nos ddilynol yn Houplines. Gwnaeth y 14th Welsh ruthrgyrch ar ffosydd Jerry nos Iau, ond ni chafwyd hwyl – dim carcharor; yr S.W.B. yn gwneud un bore Gwener a chael saith carcharor. Gwnaeth y 16 ymgyrch ddistaw – *silent raid* – a gweled neb, a'r 15th Welsh yn gwneud rhuthr a neb i ruthro arno.

Daeth Adran 34 i gymeryd ein rhanbarth drosodd ddydd Sadwrn a chymerwyd rhan y 16 gan y 16 R.S. –

Cymru a'r Alban yn cyfarfod, ninnau yn cerdded i le o'r enw Pont Nieppe, symud eto nos Sul a dod i Cuadeseure – taith o dair milltir ar ddeg; nid 'taith dydd Sabath' er ei bod yn Sul y Pasg.

Cychwynnwyd eto fore Llun y Pasg, hefyd yn ddydd ffŵl Ebrill, gan gario'n holl feddiannau, a blanced, i Merville. Cawsom daith yn y trên oddi yno i 'rywle yn Ffrainc', cerdded wedyn am bum awr i le o'r enw Herissart, taith o bymtheg milltir a chyrraedd am bedwar y bore yn flinedig iawn.

Yr oeddym ar y ffordd eto cyn y nos, ac aethom bellter o wyth milltir i Forceville gan aros yno'r nos, a sieliau Jerry yn disgyn o gwmpas. Aethom yn ein holau i Herissart, ond heb y flanced, a chysgu'r nos ym milet Llun y Pasg.

Arhoswyd yn Herissart hyd dydd Gwener a buom yn paredio y rhan fwyaf o'r amser gan symud hanner dydd a myned i wersyllu yn ymyl lle o'r enw Wadicourt – *details* yn myned i lawr o'r lein eto, y Signallers a'r arwyddo gweledig, sef gyda fflagiau a lampau. Felly yr oedd hyd drannoeth. Gadawyd Wadicourt nos Sadwrn, Ebrill y chweched, a cherdded saith milltir i Pierrecot – rhai o'r enwau welem yn taro clychau atgof.

Yr oeddwn ar y ffôn am bedair awr bore Sul, ac wedyn o hanner nos hyd bedwar bore Llun – y fataliwn ar *manouvre*, a minnau yn cael osgoi hynny. Roeddwn ar y parêd ddydd Mawrth fodd bynnag, ac yn rhedeg o gwmpas o naw y bore hyd ddau y prynhawn. Gwelais George Ellis, bachgen fu yn gydymaith ysgol a ymfudodd i Awstralia ond yn awr yn y First Brigade, First Australian Army. Nid aeth George druan yn ei ôl, yn hytrach cafodd orweddle yn naear Ffrainc.

Gadawsom Pierrecot ddydd Mercher, a theithiwyd

wyth milltir drwy ddwfr a mwd i Harponville gan aros yno hyd y nos. Tai o gerrig oedd yma ac wedi eu toi â llechi, gryn dipyn o wahaniaeth rhagor y tai mwd a choed a'u to gwellt welem yn gyffredin. Cychwynasom am y lein y nos, a gofalu am bryd da o fwyd cyn cychwyn.

Aethom i'r lein ddydd Gwener – tebyg ei bod yn rhy dywyll i weled llawer y noson cynt – a phasiodd y nos yn bur dawel ar wahân i'r stremp gwneud te honno. Byddem yn cael ambell gydaid o siercol, neu olosg, pan yn y ffosydd, ac yr oedd yn fuddiol iawn yno. Rhaid oedd ei danio wedi'r tywyllnos; byddai fflamiau a mwg wrth gychwyn tân, a phe gwelai Jerry hynny, deuai tân arall arnom. Wedi iddo gydio byddai yn dân coch gwresog.

Beth bynnag, aeth rhai ohonom ati i wneud te yng nghanol y nos, ond pan oedd y dwfr ar ferwi, trodd y *dixie* i'r tân. Rhuthrais i'w arbed, a llosgais fy llaw yn bur arw.

O achos hyn, cefais fy ngyrru i lawr cyn nos drannoeth at y detholion oedd yn myned i lawr i'r Corps Reserve, a chefais o hyd iddynt yn Gontay. Yr oedd y llaw yn blastar o blistryn erbyn hyn ac yn bur boenus. Dyma gychwyn eto drannoeth – cael trên oddi yno i Candas, yna ymlaen i Abbeyville, yna i Conteville, cerdded eto i Mesnil Domquerre, myned i Domleger i gael trwsio fy llaw gan Adran Cymorth Cyntaf Adran 16 – y llaw erbyn hyn wedi myned yn boenus iawn ac yn galw am driniaeth. Bûm yno bob dydd am wythnos a bob yn eilddydd am wythnos arall. Wrth gwrs, yr oeddwn ar *Light duty*, yn medru cerdded yn iawn, a chrwydro o gwmpas i weled y wlad y bûm yr wythnos gyntaf. Ffeindiais le hwylus i gael tatws ac wyau; nid oedd ein dogn bwyd yn ddigonol iawn. Gwelais amryw o Fataliwn 10 o'r R.W.F. ond yn adnabod neb ohonynt. Yr oedd y tywydd wedi oeri, a chaem gawodydd trymion o genllysg. Cawsom dâl o ugain ffranc fore Llun. Yna ddydd Llun, Ebrill 22ain, clywsom sibrydion fod yr hogiau i fyned dros y top heddiw neu bore yfory. Dymunwyd popeth yn dda iddynt. Daeth sibrydion eto ddydd Mawrth eu bod wedi llwyddo yn eu hymgyrch. Eithr ddydd Mercher daeth y newydd iddynt gael colledion trwm – minnau mor ffodus a bod yn gwrandaw ar y gog yn canu ddydd Iau pan oeddwn yn ysgrifennu llythyr gartref, a gweled gwennol gyntaf y tymor fore Sadwrn.

Yr oedd y llaw yn gwella'n dda erbyn hyn, ond yr oeddwn yn dal i fyned i Domleger i gael ei thrwsio yn achlysurol; minnau bellach yn medru chwarae ffwtbol. Cawsom *Church Parade* fore Sul, y cyntaf ers tro byd. Cawsom dâl eto o ugain ffranc fore Llun; roedd rhai o'r *details* yn myned am y lein – ond neb o'r 16.

Daeth newydd drwg iawn ddydd Mawrth, Ebrill 30. Roedd Dai Evans, Aberafon, sarsiant yr arwyddwyr erbyn hyn, a Pearce y *linesman* wedi eu lladd, a Sammy Neep wedi ei glwyfo, y ddau olaf o sir Derby – piti garw – hen hogiau pur a charedig.

Daeth rhagor o ddetholion i lawr atom ddydd Mercher; y meddwl yn crwydro yn aml at y bechgyn. Dyma ninnau yn symud ryw chwe milltir ddydd Gwener i le o'r enw Maison Ponthieu, a chael gwell bilet. Cawsom arolygiad fore Sadwrn, tawelwch y prynhawn, a *Church Parade* eto y Sul. Cerddasom tua deg milltir i Aix le Chateau i gael bath ddydd Llun, a chael tâl o ddeg ffranc eto. Yr oedd parêd arwyddwyr bob dydd bellach, a rhai o'r detholion yn myned i'r lein ddydd Iau. Cawsom law drwy y dydd Llun canlynol, a dim parêd, ond i gael tâl o ugain ffranc. Yr oedd prysurdeb mawr i'w weled yn yr awyr ers dyddiau a gollyngodd Jerry ddeg bom ar Abbeyville ddydd Iau.

Cawsom fath yn Aix le Chateau ddydd Gwener. Buom yn myg-darthu ein blancedi fore Sadwrn, a thebyg i gannoedd lawer o lau pasgedig gael eu diwedd. Yr oedd gwasanaeth crefyddol eto fore Sul – a sôn ein bod i symud yfory. A symud fu hi o Mesnil Ponthieu ben bore Llungwyn. Yr oedd bysiau yn ein disgwyl a dosbarthwyd ni i wahanol Adrannau. Rhowd ni mewn rhai o hen fysiau 'Penny all the way' Llundain, a chludwyd ni i ymuno â'r Fataliwn yn Rubempre wedi cael chwech wythnos o seibiant da, cael llonydd i gysgu'r nos, ac wedi cael pryd o fwyd dros ben bron bob dydd; a chawsom dâl o ddeugain ffranc wedi cyrraedd.

Cefais staff y brif orsaf mewn hwyl ddifai, gyda rhai wynebau newydd yno: Fletcher o dueddau Abergele, wedi dyfod atom o Gwmni 'A' a Wilbraham o Wrecsam wedi dod i fod yn bartner gyda'r gwifrau i Humphrey Jones. Roeddwn yn colli wynebau Dai Evans a Pearce – wedi eu colli am byth – a theimlwn yn chwithig heb Sammy Neep – fo wedi cael 'Blighty'.

Pennod 16

Y drin yn troi'n ganu

Yr oedd y tywydd yn boeth iawn eto; ninnau yn cael ein rhoi i lanhau ein celfi. Cefais lythyr oddi cartref yn fy hysbysu fod Caradog, fy mrawd, yn rhywle yn Ffrainc; synnais yn arw, gan mai draw ym Mesopotamia y clywais ei hanes ddiwethaf. Glanhau celfi yr ystorfa yr oeddym drannoeth, a nos Wener cawsom gymanfa ganu, a chytuno i gael rhagor o'r un peth nos Sul – os yma.

Cawsom *Church Parade* fore Sul, yna canu'r nos. Yr oedd tyrfa wedi dyfod ynghyd, ninnau yn eistedd ar y ddaear ac yn cael hwyl ar ganu rhai o'r hen donau, ac ambell gân Seisnig ar ei thro. Daeth Brigade Major Wheldon, 'Syr' yn ddiweddarach, atom; rhyw is-swyddog parêd yn neidio ar ei draed ac yn gweiddi 'Shun!'

'Peidiwch codi, hogiau,' meddai'r uwch-gadben, 'dod i ymofyn cymwynas yr wyf.' Aeth ymlaen i ddweud fel y bu, flynyddoedd yn ôl, yn un o dyrfa ar ben yr Wyddfa yn disgwyl gweld yr haul yn codi; a'r dyrfa yn canu emynau tra yn aros am y wawr, eu bod wedi canu 'Gwaed y Groes sy'n codi fyny' ar y dôn 'Bryn Calfaria', ac yna taro 'Ymddiriedaf yn dy allu' ar y dôn 'Sanctus' yn syth ar ei hôl. Terfynodd drwy ddweud, 'Anghofiaf i byth mo'r canu hwnnw. Wnewch chwi eu canu heno?'

Wrth gwrs, fe'u canwyd gyda gwres. Nid wyf wedi anghofio'r canu fu arnynt, a dyblu'r gân am 'Ben Calfaria' a sŵn hyll y magnelau i'w glywed yn y pellter.

Dal yn boeth yr oedd y tywydd. Yr oeddym ar ffug ymosodiad ddydd Llun, yna Jerry yn hedfan drosodd y nos ac yn gollwng bomiau o'n cwmpas. Yr oedd yr un peth drannoeth, a Jerry 'run fath y nos. Diwrnod ysgafn oedd dydd Mercher inni, rhyw ymarfer erbyn dydd Iau, a ddydd Gwener cawsom dâl o ugain ffranc, a Cadfridog y Corfflu yn dyfod i edrych amdanom, ac i'n harolygu.

Ni fyddem yn gweled y rhai hyn yn aml iawn; nid oeddym yn chwysu am eu gweled ychwaith, oblegid, fel rheol, yr oedd hynny yn arwydd bod rhywbeth yn y gwynt. Cofiaf weld tri ohonynt – y Cadfridog Syr Aylmer Hunter-Weston, y Cadfridog Carton de Wiart, a hwn, Syr Neville Shute. Yr ail o'r tri fyddem yn ei weled amlaf; yr oedd wedi colli llygad a braich mewn rhyw frwydr, a 'Nelson' fu ef inni. Un hynod ddi-lol oedd ef, er yn filwr i'r carn.

Daw atgof am y trydydd imi. Yr oedd yn hoff iawn o ganu. Yr oedd gennym ninnau bedwarawd da, wel – tri llais da iawn. Y Sarsiant Roberts, pen yr arwyddwyr yn y 13, oedd yn canu'r bâs dwbwl, ac yn ganwr da. Ei hoff gân ydoedd 'My head is bloody but unbowed', ac ymlaen, 'I am the Captain of my soul'. Fe'i canodd am y tro olaf ychydig cyn terfyn y rhyfel, a daeth yntau, druan, i gwrdd â'i dynged. Y bâs cyntaf oedd Sarsiant Dai Williams, bachan o'r De; y sarsiant hwnnw gafodd drochfa tua Festubert wrth gyrchu'r *rations* hefo'r troli fach – ac un a gynigiodd ei help inni pan oeddym yn esgyn i'r llwyfan Cenedlaethol ers talwm, lleisiwr da arall. Neville Williams o Holywell, y milwrwas meddygol, ac yn Sarsiant Williams erbyn hyn, oedd yn canu yr ail denor, llais bariton ysgafn ond tlws iawn ganddo. Canodd lawer ar 'Until' a'r 'Long long trail' – yntau wedi ei gladdu ers blynyddoedd yn Holywell. Byddwn innau yn cryg leisio hefo'r tenor cyntaf. Yr oedd cyngerdd wedi ei drefnu ar fyr rybudd, a'r Cadfridog a'i staff yn y sedd flaen. Yr oedd y pedwarawd wedi canu 'In Absence', 'In the sweet bye and bye' a 'Sweet and Low', a chael hwyl reit dda – wel, digon da i blesio'r hogiau a'r staff ta beth. Yna yr oedd Sarsiant Roberts eisiau canu unwaith yn rhagor. Yr oedd yn ddrwg ganddo ond yr oedd eisiau canu 'Comrades in Arms', minnau erioed heb ei ganu ac eisiau y 'Comrades Song of Hope', yntau yn anghyfarwydd â honno; yr un miwsig sydd i'r pâr.

Nid oedd diben i mi ddweud na wyddwn y geiriau, yr oedd ganddo gopi o'r 'Comrades in Arms' yn ei boced, a chan ei bod bellach yn dri ymhen un, bodlonais i roi cynnig arno. Aeth popeth yn iawn nes y daethom bron i'r diwedd, yna dyna fi'n baglu hefo'r geiriau – a'r pedwarawd yn mynd yn bendramwnwgl – y 'Gallant Comrades in Arms' yn methu cyrraedd pen eu siwrnai. Minnau ddywedodd wrth y Cadfridog:

'I am very sorry, Sir.'

'It's all right. You did very well, boys', meddai yntau, a minnau yn fflamio fy hun am fod mor flêr.

Crwydrais beth oddi wrth y dyddlyfr – eithr nodiadau blêr a brysiog sydd yn hwnnw; esgyrn sychion ac yn hollol farw oni roddir ychydig enaid iddynt, a cnawd o'u cwmpas. Balch wyf, er hynny, imi eu cadw; cefais bleser lawer tro wrth edrych drostynt, a phrudd-der yn ei sgil.

Pennod 17

Gyda'r detholion

Ddydd Llun, Mehefin y trydydd, daeth si y byddai Ianto Rowlands a'r hogiau yn myned am y drin a dros y top fore Mawrth. Aeth Prosser, Sarsiant yr arwyddwyr erbyn hyn, a minnau i lawr hefo'r *details* ond yn myned y tro hwn fel tipyn o *instructors*. Yr oedd angen arwyddwyr newydd.

Teithiwyd gyda'r trên i Contay ac ymlaen eto i Mesnil Ponthieu. Cafwyd parêd fore trannoeth, a glanhau y bilet yn y prynhawn. Talwyd ymweliad â phentref Yorench, a caw'd tatws ac wyau yno. Parhawyd ymlaen gyda'r paredio, a'r bechgyn yn siapio yn dda. Chwaraesom bêl-droed yn y pnawn, a myned am bryd o fwyd y nos.

Symudwyd o Mesnil ddydd Sul, Mehefin 16, a cherdded un filltir ar bymtheg i bentref Valheureux – Prosser a minnau yn cysgu mewn hofel drol agored – cysgu yn iawn o dan yr hen drol hefyd. Yr oedd paredio mawr ddydd Llun eto hefo Swyddog o'r Magnelwyr yn y bore, gwers ar y cwmpawd y prynhawn, pictiwrs y nos. Yr un stori oedd dydd Mawrth ond fod gwers y prynhawn ar ddarllen map. Cafwyd cyngerdd y nos, parti o awyrenwyr, y 'Flying Corps' fel y gelwid hwy pryd hynny, wedi dyfod i'n difyrru.

O'n cwmpas y dyddiau hyn, yr oedd amaethyddiaeth ar ei gorau, cnydau da o wair ac o ŷd, y gwragedd a'r hynafgwyr yn brysur iawn gyda'r gwair, a'r tywydd yn ffafriol.

Aethom i Gandas am olchfa tua hanner awr wedi

pedwar yn y pnawn, a cyrraedd yn ein holau am wyth. Yr oedd croesau Dai Evans a Pearce wedi dod i lawr o'r *Transport lines*; cafodd Prosser a minnau drafnid *special* pnawn drannoeth i fyned â hwy i fyny i Gezaincourt i'w gosod, a dychwelyd drwy Doullens – siwrnai faith, a'r neges yn drist.

Gwelais Daniel Thomas drannoeth, bachgen arall o'r pentref yma na ddaeth gartref. Yn y Welsh Wails a'u cyngerdd yr oeddwn fin nos. Daeth Jerry drosodd i fomio yn y nos, felly hefyd nos Sul, a gwelsom un awyren yn disgyn yn wenfflam; pitïo dros yr awyrennwr, pwy bynnag ydoedd.

Yr oedd y tywydd yn dal yn wresog iawn. Hefo dosbarth C o'r arwyddwyr yr oeddwn y bore, a gyrru ar y lamp a'r fflag, a hithau yn ddydd cyntaf o Orffennaf. Cefais fenthyg beic yn y p'nawn, ac euthum i weled y wlad oddi amgylch. Yr oedd pethau i'w clywed yn fywiog iawn tua'r lein.

Yr oeddym yn dygnu ymlaen gyda'r arwyddwyr, gwersi ar ddarllen map a darllen Morse ar y fflag a'r lamp. Symudasom ein lletty gyda'r nos, a Prosser a minnau yn ffarwelio a chysgu dan y drol. Deuai Jerry drosodd beunydd uwchben; ni chlywsom ef yn ymadael a'i fomiau, ond yr oeddym yn hen gyfarwydd â sŵn gwahanol ei awyrennau.

Yr oedd y newyddion o'r fataliwn yn brin iawn, ond aeth nifer o'r detholion i fyny ar y pedwerydd o'r mis, ninnau yn myned i Candas ar ôl te i gael golchfa – a dillad glân, wrth gwrs. Yr oedd y ddau beth yn gysylltiol, a da hynny. Yr oedd tanio trwm i'w glywed tua'r lein drwy'r nos. Cawsom barêd bach fore trannoeth ac ymarfer gyda'r lamp a'r fflag. Cawsom siaced ac esgidiau newydd, gyda gwaith newid porfa y dair ongl werdd, ac ailosod y fflagiau a'r R.W.F. – a thâl o ugain ffranc yn y fargen.

Cawsom wasanaeth crefyddol fore Sul, yna buom yn gwylied awyrenwyr yr Amerig yn myned drwy eu campau yn y prynhawn. Yr oeddym wedi gweled llu o'u gwŷr traed ers tro, ac wedi sylwi mai gynnau Prydain yr oedd ganddynt. Eithr dyma'r waith gyntaf inni weled yr awyrenwyr, a chroesawu eu help.

Yr oedd y magnelwyr i'w clywed yn brysur iawn ddydd a nos. Deuai awyrenwyr Jerry drosodd yn aml yn y nos, a gollwng bomiau yn bur agos; y balwnau sylwi yn dioddef hefyd, ac aml un ohonynt yn darfod mewn tân.

Ac fel pe na bai sŵn y drin yn ddigon, deuai mellt a tharanau i newid peth ar y cyweirnod; cawsom aml i storm ynghanol Gorffennaf, un nodedig ar yr ail ar bymtheg – Jerry yn gollwng bomiau lawer o gwmpas ben bore, a tharanau a chenllysg fel sbarblis yn y prynhawn, a'r rhain yn taro mor drwm nes torri canghennau mân o'r coed. Cawsom ninnau ein hysbysu y byddem yn symud drannoeth, ac yn ailymuno a'r hogiau – a Jerry yn bomio o gwmpas y nos.

Pennod 18

Yn ôl at yr Hogiau

Cychwynnwyd o Valheureux am hanner dydd Gwener, cerdded i Cantas, trên oddi yno i Raincheval, yna cerdded tua wyth milltir at y fataliwn, a chael hyd iddi mewn *bivouacs*, a'm *mates* mewn hwyl dan ofal Ianto.

Trodd y tywydd yn gawodog at y Sadwrn ac yn dawelach tua'r lein. Cafwyd newydd da am y Ffrancod a'u bod yn cael hwyl ar ymosod. Yr oedd yn rhy wlyb i gael gwasanaeth fore Sul; gwellodd at y nos, a chawsom dâl o ugain ffranc a chyfarfod canu. Bu yn braf ddydd Llun, rown allan ar stynt hyd hanner awr wedi chwech y prynhawn, ac ar y ffôn am ddwy awr cyn cychwyn. Nid oedd llawer o helynt ddydd Mawrth ond fod y magnelwyr a'r awyrenwyr yn brysur iawn. Cawsom ein codi am bedwar fore Mercher – ymron pawb o'r fataliwn ar *fatigue*. Cawd yr un driniaeth drannoeth, minnau ar y ffôn o unarddeg y bore hyd dri'r prynhawn.

Yr oedd wynebau newydd i'w gweled ymhlith yr arwyddwyr: J. D. Hughes, bachgen o gyffiniau Tywyn, Meirionnydd, wedi dod atom o gwmni D; eraill wedi dyfod ar ddrafft newydd o Brydain; dau frawd o'r enw Cox o Gaerdydd, Is-ringyll o'r enw Preen, ac eraill, i'r Cwmnïau.

Dau frawd digon annhebyg i'w gilydd oedd y Coxiaid. Roedd Oswald a'i wallt yn oleu a Horace yn dywyll; Oswald yn dawel a di-gynnwrf, Horace yn gynnwrf i gyd, y ddau yn fechgyn da eu gwaith ac nid gwiw sôn am eu gwahanu, a'r ddau yn cael eu rhoi gyda'i gilydd yng ngorsaf Cwmni D.

Ni fûm ar y *Church Parade* fore Sul gan fy mod ar y ffôn o un hyd bedwar y bore, felly cysgu i mewn y bûm.

Byddwn yn hoffi myned ar y parêd yma, hyd nes y deuid at 'God Save The King' – a llawer gwaith bu raid fy mhwnio gan ffrindiau yn f'ochr i daro'r gân; byddwn i ac eraill yn anfodlon i'w chanu. Byddem yn meddwl mwy am ein teuluoedd gartref, a doedd dim sôn, mewn gair na brawddeg, amdanynt hwy ynddi.

Buom, ryw ddydd wedi'r Cadoediad, yn cerdded milltiroedd i weled y Brenin Siôr V, yna'n sefyll yn hir yn rheng o boptu'r ffordd, yntau yn pasio yn ei fodur heb brin edrych arnom, ninnau yn troedio'r milltiroedd yn ein holau, a gwlychu at y croen yn y fargen. Roedd amryw ohonom yn melltithio y creadur, a neb yn ei foli.

Gofynnwyd inni, amser pell yn ôl, ymrestru 'For God, King and Country'. Codais innau wregys ledr Almaenig ar y Somme, bwcl gloyw i'w sicrhau, ac wedi eu gweithio yn y metel y geiriau 'Gott mitt uns', (Duw gyda ni), a methwn â deall sut y gallai Ef fod yn hyrwyddo Jerry a ninnau, a ninnau yn cael ein talu am ladd neu ddifetha ein gilydd. Ai tybed mai teganau chwarae oedd dynion; Yntau yn cael pleser wrth ein taflu i yddfau ein gilydd? Ai ynte, tynged noeth oedd yn difyrru ei hunan, neu ffawd yn unig yn penderfynu ein rhawd?

Cofiwn wedyn fel y bu i Lippiatt ddyfod i'w adnabod yn y drin; credaf i eraill, yn ffrind a gelyn, ddod i'r Adnabyddiaeth; cofio hefyd am y Salm 'Duw sydd noddfa a nerth i mi, cymorth hawdd ei gael mewn cyfyngder', a chofio hefyd am y Caplan hwnnw oedd yn claddu un o'n meirw. Yr oedd y parti angladd yn sefyll wrth y bedd a'r

Caplan yn terfynu'r gwasanaeth drwy adrodd y Pader, a neb yn ei helpu. Daeth sŵn un o *coal-boxes* Jerry yn y pellter, ac yn dyfod yn nes, nes, a'r Caplan yn sylwi bod gwefusau'r bechgyn yn y parti yn symud bellach gyda geiriau Gweddi'r Arglwydd. Pasiodd y siel dros eu pennau gan ffrwydro mewn pellter diogel. A sylweddolais mai nid gyda ni na chyda Jerry yr oedd Ef. Nid ei ddewisiad Ef oedd y rhyfel, eithr gallai fod yn gyfle Iddo.

Er hyn, yr oedd llawer ohonom yn rhyw ddirgel gredu fod tynged yn chwarae rhan amlwg yn ein hanes. Dywediad mynych pan fyddai rhywun wedi ei ladd fyddai, 'His number came up, poor chap'. Credem hefyd mewn lwc ac anlwc – anlwc fel y cafodd y creadur hwnnw aeth a dau dun petrol i gyrchu dwfr, a siel yn ei daro ar ei ffordd yn ôl; dim ond twll y siel i'w weled, a ninnau yn methu dod o hyd i unrhyw ddarn ohono ef nac o'r tuniau. Neu, hwyrach, lwc fel y cafodd Ben Roberts ac eraill ohonom yn y ffos ger Bouzincourt. Un o ardal Arfon oedd Ben, wedi bod gyda'r fataliwn er dyddiau Llandudno ac yn ffraeth ei dafod, a byr ei gorff. Hen ffos i Jerry ydoedd hon, yntau wedi treulio llawer o amser i'w gwneud yn glyd ac yn gadarn, mewn concret gan fwyaf, ac iddi *ddugouts* dyfn a diogel, wedi bod â goleuni trydanol ynddi. Ninnau bellach a'i meddiannai a Jerry yn gwybod lle'r ydoedd i'r dim ac yn tanio popeth oedd ganddo arni, a ninnau heb fod yn ddiogel, gan fod cegau y *dugouts* bellach tuag at dân y gelyn, a'r concret cryf wrth ein cefnau a dim ond ychydig rhyngom ag ef.

Yr oeddym yn llechu oreu allem rhag y tân, a Ben ar ei liniau yn y ffos yn gweddïo – tebyg fod amryw ohonom yn gweddïo o ran hynny – ond yr oedd Ben yn glywadwy i ni: 'Arglwydd Mawr, cadw ni; yr wyt wedi ein cadw hyd yma, dal ati os gweli yn dda'. Dyna sŵn coal-box yn dod o'r pellter. Gwyddem o brofiad ei bod yn dod amdanom, a Ben yn dal i ymbilio; ninnau hefyd, er yn ddistaw. Ffrwydrodd y *coal-box* yn ddychrynllyd o agos, darnau yn chwyrnu dros ein pennau, a chawod o bridd yn disgyn ar ein cefnau yn y ffos, a Ben yn neidio ar ei draed a'i lygaid yn perlio, ac yn dweud dan ei anadl, 'Arglwydd Mawr – hard lines.'

Eithr dal i danio'n brysur yr oedd y magnelau, dal yn brysur yn yr awyr hefyd. Tynnodd Jerry bedwar balŵn oedd inni i lawr, a thanio wedyn ar y ddeuddyn o un ohonynt, a hwythau yn hofran rhwng nen a daear. Symudasom ninnau o'r 'bifis' ar y degfed ar hugain o Orffennaf, a dyfod i Arqueves, rhyw bum milltir o daith, a sefydlu y brif orsaf mewn pabell gron. Yr oedd tanio pur arw yn y bore, a gwelsom awyren yn dyfod i lawr ar dân. Diolch fod ein traed ar lawr – a'r nos cawsom gyfarfod canu. Buom allan ar sgêm eto fore Iau, ar y ffôn o hanner dydd hyd bump, cael tâl o ddeg ffranc ar hugain – a nunlle i'w gwario.

Pennod 19

Newydd drwg oddicartref

Gwawriodd dydd Gwener, Awst yr ail, fel arfer. Yr oeddwn ar y ffôn o wyth y bore hyd hanner awr wedi deuddeg. Derbyniais neges bersonol arni fod fy mam wedi marw er doe – fy myd wedi tywyllu yn enbyd. Perswadiodd yr hogiau fi i fyned â'r neges i'r offis a gofyn am *leave*, a hynny a wneuthum..

Symudwyd i'r lein yn Bouzincourt y nos, a minnau yn disgwyl drwy y Sadwrn a'r Sul bod fy *leave* wedi ei ganiatáu, ond dim sôn amdano. Cefais fy ngyrru o'r lein ddydd Llun i'w aros, a myned i'r *Transport lines* yn Valheureux; fy meddwl innau gyda'r teulu gartref. Nid oedd dim sôn am imi gael myned adref ddydd Mawrth na'r Mercher, a'r rhyfel yn mynd ymlaen fel arfer; cyfrais bymtheg ar hugain o'n hawyrennau yn myned am safleoedd Jerry gyda'i gilydd – rhywbeth mawr ar fod.

Cefais well newydd ddydd Gwener, Awst y nawfed, fy *leave* wedi ei ganiatáu ac i ddechreu ar y deuddegfed. Yr oeddwn ar y parêd y bore a'r prynhawn, gan gychwyn am Lealvillers gyda'r nos. Euthum am olchfa fore trannoeth, yna teithio i Puchvillers y nos, trên i Boulogne y Sul, a gorfod treulio'r nos mewn ffosydd am fod Jerry yn cwmpasu yr awyr.

Daethom i lawr o'r gwersyll ffosedig tua chwech y bore – yr oedd tyrfa ohonom erbyn hyn. Rhowd ni ar y llong am unarddeg – morio hanner dydd, yn Llundain erbyn pump, ac yng Nghaer am un ar ddeg y nos, a gorfod aros eto hyd dri y bore am drên i fyned yn fy mlaen – un diwrnod o'r *leave* wedi mynd a'r ail wedi cychwyn.

Cyrhaeddais gartref am wyth y bore, a chefais bawb oedd yno yn weddol dawel – un wyneb annwyl ar goll. Yr oedd Caradog gartref o Ffrainc a Llew, y brawd hynaf, wedi troi yn ei ôl at ei waith mewn ffatri awyrennau er doe. Euthum i lawr i'r fynwent yn y pnawn, danfon Caradog rhan o'r ffordd fin nos, yntau yn cerdded ymlaen i gyfarfod y trên am ei gartref ym Machynlleth – doedd dim ond cerdded amdani bryd hyn.

Ychydig fûm yn y tŷ y tro yma. Yr oedd y lle mor wag. Bûm yn pysgota weithiau a methu dal; euthum i lawr am y Bala ddwywaith, ac aros noson bob tro. Hwyliais i droi yn ôl eto ddydd Sadwrn a myned i Lerpwl er mwyn cael trên nos Sul gan gychwyn oddi yno am ddeg y nos a chyrraedd Llundain cyn pedwar. Yr oedd y *Tube* ar stop oherwydd streic.

Gorfu inni aros hyd hanner awr wedi pump am fws; cawsom frecwast yn y Y.M.C.A. yna ymlaen am Folkestone, aros dwyawr am long, morio am bedwar gyda llwyth o filwyr anfoddog i fyned yn ôl, ac aros yng ngwersyll L yn Boulogne dros y nos. Cychwynasom oddi yno tua deg y bore, gyda'r trên i Candas erbyn saith yr hwyr, trên araf, ond digon cyflym i ni, ac ymunais â'r detholion yn Valheureux, a chael arwyddion fod symud ymlaen wedi bod tua'r lein. Cefais fy nghadw gyda'r detholion i aros i'r fataliwn ddyfod allan a gwneud parêd beunydd. Gadawsom Valheureux ddydd Mawrth, Medi'r trydydd, a theithio gyda bysiau i gyffiniau Fricourt ac Albert gan gysgu mewn hen *dugout* i Jerry wedi myned ymlaen tipyn, a phasio heibio coed Mametz ar y daith.

Yr oedd y coed yn edrych yn wahanol iawn, wedi bod ym meddiant yr Almaenwyr er mis Ebrill, hwy, neu ni, wedi torri hynny oedd ar eu traed o'r hen goed, a'r bonion wedi ailddechrau tyfu. Yr oedd yn hollol dawel y tro yma hefyd.

Symudwyd eto drannoeth y prynhawn, a dyfod i odrau Delville Wood, gyda'r hogiau yn dyfod atom tua deg y nos yn flinedig iawn. Holais eu hynt a'u helynt, a chefais fod 'Dandy' Roberts, canolwr cefn y tîm pêl-droed a chwaraewr gynt gyda'r Druids, wedi ei ladd. Buom yn edmygu ei ddycnwch a'i fedr lawer tro ar y maes chwarae, y fo bob amser yn chwarae i fyny â'i *reputation*, beth bynnag.

Ni fu parêd ddydd Gwener, ond bûm ar y ffôn o unarddeg nos Iau hyd bump y bore; sŵn y magnelau i'w clywed drwy'r nos, a'r hogiau yn cysgu'n braf er hynny. Cafwyd *roll-call* am ychydig yn y bore, a chafwyd tâl o ddeg ffranc ar hugain. Bûm yn crwydro hyd goedle Delville fin nos, yna ar fy sbel o unarddeg hyd dri y bore.

Cawsom arolygiad ar ein gynnau fore Sadwrn; dim wedi hynny. Yna clywsom fod yr Ianc i wneud ymosodiad yn ystod y dydd, a bod tanciau yn myned i gynorthwyo. Cefais fwndel o lythyrau oedd wedi dyfod i mi tra bûm gartref. Yr oedd yn dawel eto y Sul, finnau â gwaith ateb llythyrau, a chael sbel o ganu da fin nos, gan fod y Welsh Wails wedi dyfod i'n difyrru.

Ni fu dim neilltuol ddydd Llun. Wrth gwrs, cawsom ymdaith fer yn y prynhawn, a bu'r Côr yn ymarfer gyda'r nos.

Pennod 20

Yr Americanwyr

Yr oeddym ar ein taith eto brynhawn Mawrth, a daethom i Roequingy, pellter o wyth milltir. Pasiwyd hylltod o gyrff ar y llechwedd, yn Americanwyr ac Almaenwyr, a chludwyr yn eu casglu i wagenni ac yn eu cyrchu i'w claddu.

Deallasom ymhen dydd neu ddau fod yr Americanwyr wedi gwneud rhuthr, ac wedi dal i ruthro dros ffosydd Jerry, heb wneud yr hyn a elwir gennym yn 'mopping up', hynny yw, heb ddiarfogi a charcharu y rhai yr oeddynt yn eu pasio. Canlyniad hyn oedd cryn lanastr; yr oedd lein o'r gelyn ar y blaen, yna ffosiad o'r Iancs, yna rhes o'r gelyn, yna Iancod, yna rhes o'r gelyn, hyd at chwe rhes, Jerry a Ianc bob yn ail. Yr oedd pedair rhes yn wynebu tân o'r ddeutu, a phrif swyddog yr Ianc mewn penbleth. Ni wyddai yn iawn ymhle roedd ei filwyr; ni fedrai anfon neges ymlaen atynt, ni fedrent hwythau anfon un yn ôl iddo yntau. Bu raid iddo ofyn am help buan, a daeth yr Anzacs i fyny i dacluso'r anhrefn, a rhyddhau yr Iancod, ac yn ôl yr arwyddion, bu iddynt wneuthur hynny yn dra effeithiol.

Gadawyd Roequingy drannoeth a daethpwyd i gwr Dessart Wood, a buom yn cysgu'r nos mewn ffos – cysgu'n dda er hynny. Cawsom dipyn o belenni nwy drosodd ond dim llawer o helynt. Yr oedd tanio trwm i'w glywed fore Iau, Brigâd 115 yn myned drosodd, yn llwyddo i gyrraedd eu nod, ond yn gorfod cilio yn ôl oherwydd gwrthymosodiad, gyda chwech o'n staff ar y brif orsaf yn cael eu clwyfo.

Yr oedd staff yr arwyddwyr wedi myned yn bur fach erbyn hyn hefyd, Bob Rowlands wedi cael ei glwyfo ers tro, ac Emery wedi ein gadael am swydd mwy diogel ac iach yn yr R.E.s, Prosser, Ianto, Fletcher, Hughes a minnau yn aros ohonynt, a Humphrey Jones a Wilbraham gyda'r gwifrau.

Bu'r magnelau o boptu yn brysur iawn trwy ddydd Gwener, Jerry yn ôl pob tebyg wedi paratoi i ymosod ond yn cael ei ddal yn yr atal-dân ac yn cael colledion trwm. Yr oedd prysurdeb mawr i'w weled yn yr awyr, felly hefyd y Sadwrn, a chlywsom newyddion am ymgyrch lwyddiannus o eiddo'r Ianc.

Daeth un o awyrenwyr Jerry drosodd y Sul, a rhoes bump o'n balwnau sylwi ar dân; tebyg ei fod yn paratoi i ymosod neu i gilio yn ei ôl, ac nid oedd am inni ganfod y paratoadau.

Symudasom ryw filltir a hanner ymlaen i rai o'i hen *dugouts* a chael lle go lew, cael gwely rhwydwaith sengl rhwng dau ond cysgu yn iawn ar draws ein gilydd.

Bu yn braf iawn ddydd Mawrth, a da oedd hynny, gan fod sôn ein bod i fyned dros y top fore trannoeth. Gwelsom awyrennwr inni yn cael ei fwrw o'r uchelder a Jerry yn feistr corn arno.

Aeth y 14 a'r 16 drosodd ddydd Mercher. Methwyd â chyrraedd y nod yn y bore; dyma ail gynnig yn y prynhawn, a llwyddo, er cael colledion trwm y ddau dro. Aeth Brigad 114 drosodd y nos; ddydd Iau yr oedd pethau yn byr debyg, a Jerry yn bur flin. Cymerodd Brigâd 113 *African trench* deirgwaith a'i cholli deirgwaith, ei chymeryd y pedwerydd tro, a'i dal. Bu rhai ohonom yn ffodus iawn wedi cael ein rhyddhau; ffrwydrodd siel lai na deg llath i ffwrdd, ninnau yn swatio fel twr o ieir mynydd, a chyrraedd hyd goed Dessart berfedd nos.

Cawsom gryn law ddydd Gwener, ond cychwynnwyd am un o'r gloch, a daethom i'r cabanau yn Roequingy, a da iawn oedd cael ychydig seibiant mewn lle sych. Daeth yn braf ddiwedd y pnawn, a gyda'r nos yr oedd lleuad gyfan yn perlio arnom, lleuad yr oeddym wedi ei foli lawer gwaith adref, eithr yn ffrind amheus i'r milwr yn y drin.

Bu'r Sadwrn eto yn weddol dawel. Arolygwyd ein harfogaeth yn y bore; myned i'r baddonau y prynhawn a chododd noson braf at yr hwyr ond yn dyfod i lawio yn arw yn y nos gyda dydd Llun yn gawodog, ond yn gwella at y prynhawn. Lle anial a gwag oedd yma a ninnau'n methu cael hyd i ddim ond y *canteen*, a dim llawer yn hwnnw ac awyrenwyr Jerry yn brysur iawn.

Gwellodd y tywydd ddydd Mawrth. Deallwyd i Jerry ymosod yn y bore ac iddo ennill peth tir; ninnau ar sgêm arwyddo, ac yn cael gwers ar ddehongli darlleniadau map yn y pnawn a'r côr yn ymarfer yn yr hwyr gyda mynd da ar y canu.

Bu Jerry yn brysur yn yr hwyr hefyd, a rhoes ddau falwn inni ar dân. Ar sgêm arwyddo yr oeddym eto fore Mercher – dim llawer o hwyl, ac ar y ffôn yn y prynhawn. Yr oedd dydd Iau yn bur oer ond yn weddol sych, a ninnau yn cyfrif y dyddiau yn fanwl bellach, oherwydd y gred a'r gobaith nad oedd diwedd y drin yn bell. Ymarferiad yn y siambr nwy oedd yn y prynhawn, gêm o ffwtbol gyda'r nos a'r 13 yn curo y 16 o ddwy gôl i un.

Cawsom arolygiad gan y Brigadydd fore Gwener mewn diwyg ymladd – gwn, bidog, cydau cetris, potel ddwfr, yr erfyn torri cysgod i ben, ac ysgrepan ar ein cefnau; dyma fu ein diwyg bellach. Aethom am y baddonau yn y prynhawn, yna pacio popeth ar gyfer symud drannoeth, a'i gorffen hi yn y pictiwrs yn Roequingy gyda Ianto Rowlands.

Nid oedd parêd hyd ddau o'r gloch y Sadwrn. Dyma gychwyn bryd hynny a dyfod gyda bysiau i Heneuville, a threulio noson oer iawn yn y ffosydd. Roedd dydd Sul yn braf, ninnau yn gweled amryw garcharorion yn pasio.

Pennod 21

Chwysu am y diwedd

Bu dydd Llun, Hydref y cyntaf, yn wyntog iawn, ac arwyddion fod Jerry yn cilio yn ei ôl eto, gan fod ein balwnau yn symud i fyny. Clywsom fod Bwlgaria wedi rhoi i fyny. Yr oedd dydd Mawrth eto yn bur oer, a'r gwynt yn dal i'n cefnau. Gwelsom amryw o'n balwnau propaganda yn myned drosodd i hysbysu Jerry a'r trigolion am Bwlgaria – mae'n debyg – a newyddion da yn dod am ymgyrchoedd Ffrainc a Belgium.

Trodd dydd Mercher yn sych a braf; roedd sŵn tanio ffyrnig i'w glywed ar y chwith inni. Trodd Ianto a minnau i'r pentref cyfagos fin nos i chwilio am y *canteen* a sigarennau. Roedd dydd Iau yn braf hefyd, a minnau ar y ffôn yn y bore, a myned am olchfa y prynhawn. Daethom yn ein holau a gwelsom fod yr hogiau wedi pacio yn barod i symud oddi yma. A symud fu hi fin nos a dyfod i Pozierres, a chael noson anghysurus yno. Symudwyd ymlaen brynhawn trannoeth, wedi cael stynt agored y bore, a dyfod i Bontonypan, gan basio llawer o gyrff Americanwyr ac Almaenwyr ar y daith, a chael llety diogel, er digon blêr a budr, yn un o *dugouts* dyfn Jerry.

Yr oeddym i fyned dros y top eto y Sadwrn, eithr canfyddwyd bod y gelyn yn cilio. Symudwyd y pnawn i Le Catelet a chael noson oer a digysgod. Roedd yn oer y Sul hefyd, a ninnau i symud ymlaen yfory.

Deffrodd Jerry yn bur flin fore Llun a bu yn tân-belennu yn ffyrnig o gwmpas swyddfa y Fataliwn; symudwyd honno yn nes ymlaen y pnawn. Roedd yn bur anghysurus yma hefyd; collasom ddau grochenaid o de pan oedd yn amser ei yfed, gan i siel ddisgyn yn ymyl a throchion o fwd yn newid lle gyda'r te – hen dric sâl. Gorfu i ninnau aros yn hir am yr ail ferwaid.

Aeth y fataliwn drosodd fore Mawrth, a symudasom tua pedair milltir ymlaen, ond cafwyd gryn wyth ugain o golledion, y mwyafrif, wrth lwc, yn glwyfedigion. Buom yn llechu'r nos mewn hen ffos, lle oer ar y naw. Roedd barrug gwyn ar y ddaear fore Mercher, ninnau bron rhynnu, ond cododd yn ddiwrnod braf.

Aeth Ianto a minnau am sgawt i bentref Walincourt. Nid oedd neb yno, a methwyd â gweled dim defnyddiol. Symudodd y fataliwn i'r pentref ddydd Iau; cawsom ninnau lety reit dda, ond bod cryn waith glanhau arno ar ôl Jerry. Roeddym yn ei gyfrif yn greadur budr, eto efallai iddo orfod ymadael ar frys.

Buom yn sgrownjio o gwmpas y pentref eto yn ystod dydd Gwener a daethom o hyd i datws a moron; cawsom swper da iawn – a newyddion da am y drin ar ei ôl.

Trodd y Sadwrn yn wlyb iawn, ond cawsom bryd da o'r tatws a'r moron cyn symud i Trousvilles a chael llety da eto. Roedd tanio trwm drwy y nos Sul. Roedd dydd Llun yn braf, eithr nid yn braf yn y pentref gan fod Jerry yn ei sielio, ac yn lladd chwech o fataliwn 14. Berwyd rhagor o datws a'r moron at ginio, aw'd i gael bath y pnawn, a gwledda'r nos ar ragor o'r danteithion. Gwelodd dydd Mawrth ni yn dal ar y tatws. Roedd amryw o'r hogiau i lawr dan influenza, neu rywbeth o'i fath, a phump ohonynt yn cael eu cludo i'r ysbyty. Daeth sŵn cryf a chroesawus fod diwedd y drin yn ymyl. Cawsom dâl o ugain ffranc ddydd Mercher, a methu cael sigarennau yn unman.

Bu dydd Iau yn braf ar y cyfan, a'r arwyddwyr yn gwneud yn fawr o'r tywydd. Yr oedd newyddion da eto a chryn sôn am heddwch yn y papurau ond nid oedd dim i'w ysmygu trwy'r dydd – drwg anarferol. Clywem straff fawr ddydd Gwener gyda'r Ianc yn myned drosodd ar y dde inni. Clywsom iddynt gymeryd tair mil o garcharorion. Gobeithio bod hynny'n wir. Roedd newyddion da hefyd o Belgium, ac o Serbia bell.

Cafwyd ambell siel drosodd fore Sul. Roedd 'rhen Ianto dan y ffliw ac aed ag ef i'r ysbyty; bu'r truan farw yno ymhen ychydig ddyddiau; Ianto wedi dod drwyddi yn ddianaf, hyd at sôn am heddwch, ac yn syrthio i'r ffliw yn y diwedd. Gofidiwyd yn fawr ar ei ôl; yr oedd yn ffefryn gennym oll, ac yr oedd bob amser yn gefnog a chwareus.

Aethom ninnau i'r lein cyn y nos gan gymeryd drosodd oddi ar Adran 66, a chawsom swyddfa mewn orglawdd reit dda; y Frigâd yn myned drosodd nos Sadwrn, neu yn hytrach ddau o'r gloch fore Sul, a chyrraedd ein nod yn weddol hwylus.

Yr oedd yn glawio fore Llun a Jerry'n ddigon blin eto hefyd, yn tân-belennu atom, ninnau mewn helynt gyda'r gwifrau am fod y sielio yn eu torri, a ninnau yn helpu i'w trwsio. Cafodd y 13 a'r 14 eu rhyddhau, a'r 16 yn aros gyda Brigâd 115, Bataliwn 15, Cymry Llundain, bellach wedi cael ei rhannu rhwng y tair bataliwn, gydag ond tair uned ymhob Brigâd; rhyw drefniant newydd wedi dyfod.

Pennod 22

Y tanciau

Cawsom ninnau ein rhyddhau gan Adran 33 ddydd Mawrth a symudasom yn ein holau i Trousvilles. Daeth tanciau i fyny yn llu at y nos, a stynt fawr i fod yn y bore.

Creadigaethau brawychus oedd y tanciau yma. Teithient ymlaen dros ffos a gwaun, drwy ddwfr a llaid, gan ddymchwel adeiladau, tra'u coluddion megis yn chwydu bwledi a thân. Er hyn, gwelsom aml un yn eu tro wedi llonyddu, Jerry wedi cael lab deg arnynt, a hwythau bellach yn *casualties*!

Bu inni symud o Trousvilles fore Mercher a daethom i Forest, minnau ac eraill o'r arwyddwyr yn myned hyd y ffordd i'r swyddfa, a Jerry yn tân-belennu, a tharo *ambulance* o'n holau. Teimlais ddarn yn taro fy nghefn, a ffendio, wedi tynnu y *fighting order*, fod darn o shrapnel yn fy nhun bwyd; lwc garw bod hwnnw a'r ysgrepan a'i chynnwys wedi arbed fy nghroen. Yr oeddwn yn falch o gyrraedd llety mewn seler.

Cawsom ddiwrnod braf iawn ddydd Iau, Hydref 24, diwrnod ffair Ganol y Bala. Yr oedd ein magnelau yn brysur, a Jerry yn gorfod cilio. Disgynnodd bom yn bur agos, ac yr oedd cryn danio yn y nos, ninnau i fod i symud ymlaen ddydd Gwener, ond y symudiad yn cael ei ohirio am bedair awr ar hugain, eithr nid oedd hynny yn boen inni.

Bu prysurdeb mawr yn y pentref drwy'r nos, sŵn offer

rhyfel yn pasio drwodd, felly hefyd fore Sadwrn, ninnau yn symud yn y prynhawn a dyfod i Engle Fontaine, tref – wedi bod – bron ar gwr y Foret de Mormal, coedwig tua phymtheg milltir o hyd, a'i lled yn amrywio o dair i chwe milltir.

Buom wrthi yn brysur yn tyllu i mewn i'r dorlan yma. Yr oeddym mewn ffordd isel a rhaid oedd ceisio sicrhau rhyw gymaint o gysgod oherwydd y tywydd anwadal, a rhag yr anialwch caled oedd yn cael ei hyrddio tuag atom. Daeth i lawio nos Sul ond yr oeddym yn weddol glyd erbyn hynny. Bu tanio ffyrnig iawn ar y dde inni fore Llun a'n hawyrenwyr yn brysur hefyd. Roedd rhai y gelyn wedi myned dipyn yn swil erbyn hyn. Yr oedd yn braf ddydd Mawrth, ninnau yn crwydro o gwmpas, ond fawr i'w weled ond hagrwch rhyfel. Cawsom dorri ar yr undonedd ac ystwytho ein cymalau er hynny. Bu yn bur dawel drwy'r dydd ond bu i amryw o sieliau ddisgyn o'n cwmpas yn y nos.

Yr oedd yn braf ddydd Mercher hefyd, yn neilltuol felly am fod mwy o sôn am derfynu'r drin. Daliai ein gwŷr awyr yn brysur, sieliau o'n cwmpas yn y nos eto, a straff fawr i'w chlywed ar y dde inni. Daeth y glaw i edrych amdanom at ddydd Iau ac arhosodd gyda ni drwy'r dydd gan anwybyddu ein diffyg croeso. Cawsom y newydd fod y Twrc wedi cael ei wala a'i weddill o ryfela, a sôn bod Awstria bron yn yr un teimlad. Yr oedd Jerry ddigon blin ac aflonydd drwy'r nos.

Ddydd Gwener, Tachwedd y cyntaf, daeth y newydd fod Awstria wedi ei digoni. Roedd Jerry bellach ar ei liwt ei hunan; ninnau yn chwysu am heddwch ond y chwys yn oeri wrth weled magnelau a thanciau yn cael eu symud i fyny.

Symudasom ninnau ymlaen ddydd Sul, a sieliau lawer yn disgyn o'n cwmpas. Cawsom straff fawr fore Llun a thua pedwar ugain o golledion ac aeth y fataliwn ymlaen i chwilio am le mwy cysgodol. Arhosodd hanner dwsin ohonom ar ôl i gadw cyswllt trafodaeth nes sefydlu gorsaf newydd.

Ninnau a symudasom o Engle Fontaine fore Mawrth i chwilio amdani, a chael hyd iddi yn y coed fel yr oedd hithau ar symud ymlaen. Cerddasom rai milltiroedd yn y goedwig, pawb yn wlyb at y croen cydrhwng y glaw a'r bargoed. Gwnaethom bifis ynddi a threulio noson oer ac anghysurus.

Symud oedd hi eto am ddau y prynhawn gan gerdded milltiroedd i'r dwyrain a diolch o'n calonnau fod llwyddiant yr ymgyrch ar y dde inni wedi gwneud i Jerry gilio o'r goedwig, onide byddai yn farwol inni. Daethom allan o'r goedwig heibio lle bach o'r enw Sart-bara, yna ymlaen i bentref helaeth Berliamont, a cael llety reit glyd.

Yr oeddym ymhlith trigolion erbyn hyn, hwythau yn ein croesawu'n wresog. Hynafgwyr a gwragedd oedrannus oedd i'w gweled yma, ychydig o blant, a dim pobl ieuanc, a hynny o drigolion welem yn edrych yn ddigon truenus.

Golygfa gyffredin inni, bellach, oedd gweled ceffyl, neu yn hytrach csgyrn ceffylau, ar ein taith; ceffylau Jerry yn cael eu lladd gan y tân, cael eu llusgo oddi ar y ffordd, a'r trigolion, a Jerry hefyd, mae'n bosibl, wedi bod yn darnio'r cig i'w fwyta. Gofynnais unwaith i hen Ffrancwr, gŵr y tŷ *lodging*, a oedd y cig ceffyl yn flasus. 'Oui, monsieur,' meddai yntau a phrysurodd i ymofyn llond plât â darnau ohono gan gymell, 'Mange,' ond nid oedd fy ystumog yn caniatáu.

Yr oedd yn amlwg fod pethau wedi bod yn galed

iddynt. Nid oedd anifail i'w weled yn unman; rhaid oedd iddynt ddarnio cyrff y ceffylau neu lewygu. O ran hynny, nid oedd cig ceffyl yn ddieithr iddynt; peth cyffredin ym mhentrefi Ffrainc a Belgium fyddai siop cigydd, a phen ceffyl, ffug wrth gwrs, yn hongian uwch ben y drws. Efallai ein bod ninnau hefyd wedi bwyta llawer darn o geffyl yn y bwli biff.

Symudasom o Berliamont am ryw filltir a hanner a chael croeso gwresog gan y pentrefwyr eto. Treuliwyd dydd Iau ar y ffordd; cyrhaeddwyd Sassnegies, lle arall pur eang, a threuliwyd ychydig oriau yno. Yna ymlaen â ni eto i le o'r enw Bois Leroy, mantais o hanner milltir, a Jeremia ar goll.

Symudwyd ymlaen eto ddydd Gwener a chyrraedd ein nod; dim golwg ar Jerry, er bod ei fagnelau yn tanio ar y coed Leroy yma, a rhai o'i sieliau yn ffrwydro'n rhy agos i fod yn gysurus. Sefydlwyd y brif orsaf yn y prynhawn mewn seler eang, a'r tŷ yn sefyll wrth ochr y brif ffordd o Avesnes i Maubeuge. Cawsom noson dawel a Jerry ar encil – er iddo chwythu i ffwrdd ddarn o do tŷ dros y ffordd inni yn ystod y nos, a ninnau yn gwybod dim nes y gwelsom hynny yn y bore. Rhedodd Humphrey a minnau yno, ond yn cael y trigolion yn ddiogel ac yn diolch am eu seler.

Pennod 23

Broc y drin

Bu yn dawel iawn ddydd Sadwrn. Aeth Humphrey Jones a minnau am dro, a daethom ar draws yr hyn fu yn ddirgelwch inni, dwy res o gelfi wedi eu gosod yn daclus ar lawr, yn raseli o bob math, llawn mwy o rai Prydeinig nag Almaenig, ac ambell *safety* yn eu plith, pistolau o bob math, a llu o bethau eraill, fel pe baent wedi disgyn yno megis 'manna o'r nef'. Buom yn ceisio dyfalu beth oedd yn cyfrif am hyn. Ai tybed bod rhyw fintai o'n milwyr wedi cael math ar *Kit inspection* yno, ynte a oedd parti o'r gelyn wedi gorfod eu dympio er mwyn symud tuag adref yn gynt? Yr oedd amlder raseli Prydain braidd yn awgrymu hyn, a methem wybod pa filwyr inni allai fod yno o'n blaenau

Beth bynnag, gwastraff ar amser oedd dyfalu, a'r fath gynhaeaf yn disgwyl wrthym, ac yn onest ddigon yn y fargen. Ein hanhawster oedd gwybod beth i'w ddewis. Byddai angen gwagen i gynnwys y cwbwl; yr oedd ein ysgrepan ninnau yn fechan, a ninnau heb wybod diwedd y daith. Cododd Humphrey bistol yma a phistol acw – roedd yno ddigon o ddewis – codi rasel draw; minnau yn codi pistol hir – rhai Jerry oedd y rhain i gyd, wrth gwrs – a chodi rasel i ni, a rhai Almaenig; codi *safety* hefyd mewn cas lledr.

Rhoddais y pistol dipyn yn ddiweddarach i Humphrey; yr oedd yn myned ar *leave*. Aeth â fy raseli hefyd gan addaw eu hanfon i'm cartref, a hyn a wnaeth.

Y mae'r *safety* ar waith beunydd, er bod cannoedd o *new draft* yn y ffordd o lafnau wedi bod trwy'r drin. Y mae yma ddwy rasel hen ffasiwn dda yn gorffwys ochr yn ochr, un yn Saesnes a'r llall yn Almaenes – a rasel y fyddin yn gwneud ei rhan bob tro y bydd y Feistres yma angen torri oel cloth neu ei debyg.

Y mae gennyf amryw *Souvenirs* eraill, bid siŵr; plac bychan pres o'r Eglwys a'r iechydfa yn Lourdes, a chroeslun o ifori a godais yn un o dai drylliedig Ffrainc, ac sydd yn fy atgoffa o sêl a defosiwn amlwg y Pabyddion, a'u harfer o fyned i'r Mass sut bynnag y byddai y duwiau rhyfel yn eu trin. Mae gennyf hefyd gyllell bapur wedi i un o fechgyn yr Almaen ei ffurfio o fwled a chetrisen bres.

Byddai fy Nhad yn cael hwyl fawr wrth chwythu i ddau ddarn o bres sydd yma, pennau rocedau gynlluniwyd i gario negesau pan fyddai pob moddion arall yn methu. Sicrheid y neges mewn man pwrpasol ar goes y raced, rhoddid tân arni a'i chychwyn i'w chyfeiriad priodol. Âi hithau ymaith a'r droell fechan sydd yn y trwyn yn chwyrlio'n swnllyd yn y gwynt, arwydd i'r rhai oedd yn ei disgwyl ei bod hithau ar ddyfod. Un fechan ydoedd, eithr yr oedd yn gychwyn i'r rocedau sydd yn chwyrlïo ym myd y sêr heddiw.

Deuais o hyd i bar o *binoculars* (dau lygeidiog) da, wrth gyweirio gwellt fy ngwely ar lawr hen ysgubor; rhywun o'm blaen wedi eu cuddio, mae'n debyg, ac o bosibl, ofn eu haddef, neu wedi eu hanghofio. Beth bynnag, daliais afael tyn arnynt, a chefais hwy gartref pan ar fy *leave* diwethaf.

Y mae gennyf amryw o luniau. Soniais eisoes am drychineb y tri brawd. Y mae llun arall o hogiau Arley House, amryw ohonynt ymhlith colledion rhyfel, eraill yn ddiau erbyn hyn yn *gasualties* amser. Y mae llun arall ar y mur yma, saith ohonom, Pearce a minnau ac Emery yn sefyll, Sammy Neep, Prosser, a Bobi Rowlands yn eistedd ar gadeiriau, a Ianto Rowlands yn goes groes ar y gwaelod.

Byddaf yn dyfalu beth yw hynt a helynt Neep ac Emery. Clywais oddi wrth Prosser rai blynyddoedd yn ôl; deallais dro yn ôl hefyd fod Bobi Rowlands draw yn Birmingham. Gwn yn rhy dda ymhle mae Pearce a'r hen Ianto.

Bu map yn ddiddorol i mi erioed; codais a chedwais

Ffrindiau eto: Pearce, Tom ac Emery yn sefyll,
Sammy Neep, Prosser a Bobi Rowlands yn eistedd,
gyda Ianto Rowlands yn eistedd yn goes groes ar y llawr

amryw o dro i dro, mapiau a drefnwyd gan uned ddaearyddol y Corfflu, ac a ddefnyddid i roi map gyfeiriad ar negesau ac yn cynnwys y rhan oddeutu Engle Fontaine a rhan o goedwig Mormal. Arno mae gwybodaeth wedi ei godi o fap Almaenig a feddiannwyd, y gwifrau pigog, pyllau saethu, a lleoedd eraill y gellid disgwyl am wrthwynebiad wedi eu nodi arno mewn inc fioled. Map da arall sydd yma, map lliain o Ogledd Ffrainc a Belgium, map deurodwr neu fodurwr, ac un sydd yn dal ei droi a'i drosi yn iawn yn nhreiglad y blynyddoedd. Y mae dau fap papur arall, fu yn eiddo rhyw Jerry, un yn dangos rhan o Foret de Mormal, ac yn ymestyn ymlaen hyd at derfynau Ffrainc a Belgium, a phen eithaf ein taith wedi ei nodi arno yn ofalus. Eithr y map sydd gennyf y gwerth mwyaf ynddo ydyw yr un arall o eiddo Jerry, map yn mesur pedair modfedd a deugain wrth ddeg ar hugain, pob pentref a thref y buom ynddynt, gydag ychydig iawn o eithriadau, i'w cael arno; pob llwyddiant o eiddo Jerry yn cael ei ddangos mewn gwahanol foddion a lliwiau.

Dengys eu llinell Medi y cyntaf, 1914; y 6ed o Fedi, 1914; Hydref 1, 1914; Tachwedd 1, 1914; Awst 1, 1915; Ionawr 1, 1917; Mehefin 1, 1917; Mawrth 20, 1918; Mehefin 11, 1918; a'r 22ain o Orffennaf, 1918.

Nid oes sôn am ymgyrchoedd y Cynghreiriaid ar y Somme yn 1916, am Pilkem a Paschendale yn 1917, ac eraill, ond y mae yn fap diddorol i mi ac yn dwyn yn ôl lawer o atgofion.

Gresyn bod y blynyddoedd wedi dweud cymaint ar ei gyfansoddiad papur; y mae wedi myned yn fregus iawn ac yn galw am gael ei nyrsio beunydd.

Soniais eisoes am y tri llyfr 'Souvenirs', y rhain o hyd yn dal yn drysorau diddorol ac yn glychau atgof.

Ddydd Sadwrn, Tachwedd 10, euthum o gwmpas gorsafau y Cwmnïau; yr oeddwn i fesur yn gyfrifol amdanynt, gan fod Sarsiant Prosser ar *leave* ers dyddiau, a minnau yr unig un bellach o arwyddwyr gwreiddiol y fataliwn. Cefais hyd iddynt yma ac acw, Oswald a Horace Cox yn eithaf hapus, ac wedi gwneud lletty iddynt eu hunain mewn coedle, a phawb ohonynt yn chwysu am glywed am Gadoediad.

Symudasom diwedd y prynhawn, ac aethom ychydig filltiroedd ymlaen i Dimechaux, pentref rhyw saith milltir i'r deheu o Maubeuge, a thua'r un pellter o derfyn Belgium. Roedd croeso y trigolion yn dal yn frwd ond eu bwyd yn brin, ac effeithiau y drin yn amlwg arnynt.

Euthum am dro i bentref Demont bore Sul, a chael pethau yr un fath yno, a'r trigolion, fel ninnau, yn dyheu am y diwedd.

Galwyd pawb ohonom ar y parêd ychydig cyn unarddeg fore Llun a darllenwyd hysbysiad swyddogol inni – bod Jerry wedi rhoi i fyny yn ddiamod, a'r ymladd i beidio ar yr unfed awr ar ddeg, o'r unfed dydd ar ddeg, yn yr unfed mis ar ddeg. Daeth sŵn rhyw lais draw yn gweiddi 'Hwre' a deall wedyn mai un o ddrafft newydd ydoedd; hawdd y gallai weiddi. Safai pawb arall yn fud, a dyfynnaf o'm dyddlyfr: 'Methu'n lân a diffinio fy nheimladau; pawb fel pe bai yn ffaelu â chredu bod y miri yma ar ben, a phawb, mae'n debyg, fel fy hunan, yn rhyfeddu'n ddiolchgar iddo ddod trwodd yn ddianaf, a chymaint wedi eu lladd.'

Meddyliwn am Simon Phillips, a Betws, am Lippiatt a Pearce a Dai Thomas, a Morsyn ac Elgan o'r pentref adref; cofio'n ddwys am y tri brawd, a Ianto; a meddwl am Arthur a fy mam – a mamau eraill – a'r llu o hogiau gollwyd;

Dadorchuddio cofgolofn i'r 40 o hogiau'r pentref laddwyd yn y Rhyfel Byd Cyntaf

meddwl am lawer tro trwstan ar y daith, a chofio am y pennill Saesneg hwnnw welais rywdro yn nyddlyfr Lippiatt:

Every bullet finds its billet,
Some bullets more than one,
Many a bullet killed a Mother
When it killed that Mother's son.